DeepSeek

新媒体+自媒体运营

AI赋能创作、引流与盈利技巧

谭贤 孙建东◎编著

化学工业出版社
·北京·

内 容 简 介

在内容创作与传播日益饱和的时代，许多创作者和运营者正面临同样的困境——灵感枯竭、运营低效、引流乏力、变现受阻。如何在算法与流量的浪潮中突围，重塑创作价值与商业效率？本书将为你提供系统的答案。

本书不仅是一本工具指南，更是一部助你实现运营跃迁的实战手册。书中以DeepSeek为核心引擎，深度整合即梦AI、可灵AI等前沿技术，系统讲解如何利用人工智能提升创作效率、优化内容分发、精准触达受众，并实现高效转化与持续盈利。通过125个真实案例与119个可复用技巧，作者将AI在内容创作、用户增长、数据分析与商业变现中的应用路径，转化为可操作的实战方法。书中配有170集教学视频、146个效果素材包及118条AI提示词，帮助读者快速上手、边学边用，真正实现从“经验驱动”到“智能驱动”的运营模式升级。

本书图文并茂、结构清晰、语言通俗，适合新媒体与自媒体运营初学者、有一定经验的内容创作者与企业营销人员、自由职业者及品牌主理人、新媒体与传播相关专业的学生等读者阅读与使用。

让AI成为你的创作伙伴，让内容与收益同步增长。

图书在版编目(CIP)数据

DeepSeek新媒体+自媒体运营 : AI赋能创作、引流与盈利技巧 / 谭贤，孙建东编著. -- 北京 : 化学工业出版社，2025. 11. -- ISBN 978-7-122-49072-8

Ⅰ. F713.365.2-39

中国国家版本馆CIP数据核字第2025ME8073号

责任编辑：郭 阳 李 辰　　封面设计：异一设计
责任校对：王鹏飞　　装帧设计：盟诺文化

出版发行：化学工业出版社（北京市东城区青年湖南街13号 邮政编码100011）
印 装：天津裕同印刷有限公司
710mm×1000mm 1/16 印张13 3/4 字数264千字 2026年3月北京第1版第1次印刷

购书咨询：010-64518888　　售后服务：010-64518899
网 址：http://www.cip.com.cn
凡购买本书，如有缺损质量问题，本社销售中心负责调换。

定 价：88.00元

前　言

一、运营痛点

在当今数字化浪潮中，新媒体与自媒体已成为个人和企业展示自我、连接世界、创造价值的关键平台。然而，创作瓶颈、效率困境、引流难题与盈利焦虑等痛点，犹如四座大山，压得无数运营者喘不过气来。我们深入调研了超过500位运营者的真实需求，发现以下核心困境亟待突破。

- 创作瓶颈：78%的运营者表示每周至少3次面临灵感枯竭的困境，同时选题重复率高达62%，内容同质化让平台推荐算法对账号“视而不见”。
- 效率困境：平均每天耗费4.5小时在机械性重复操作上，跨平台适配工作让内容生产周期延长2.3倍。
- 引流难题：自然流量获取成本同比上涨120%，付费推广ROI持续下滑，用户画像模糊导致精准营销转化率不足8%。
- 盈利焦虑：83%的账号陷入“粉丝百万却月入不过千”的困境，变现路径单一，商业合作复购率不足35%。

二、写作驱动

AI技术的崛起，尤其是像DeepSeek这样强大的AI工具的出现，为新媒体与自媒体运营者打开了一扇全新的大门，特别是对帮助解决以上四大运营痛点，起了很大的作用。本书将带你深入探索DeepSeek如何赋能创作、引流与盈利，助你在新媒体与自媒体的浪潮中乘风破浪。

1. AI 如何赋能创作：从灵感到爆款的蜕变

创作是新媒体与自媒体运营的核心，但灵感枯竭、效率低下、内容同质化等问题常常让运营者陷入困境。DeepSeek 彻底改变了这一局面。无论是文案、图片还是视频，DeepSeek 都能提供精准的创作支持。

- 文案创作：DeepSeek 能够生成吸引眼球的标题、逻辑清晰的文案结构，甚至能根据不同平台的用户偏好调整文案风格，让每一篇内容都直击用户内心。
- 图片生成：借助 DeepSeek 的 AI 提示词功能，你可以轻松打造高质量的视觉内容，从产品图到节日主题图，满足各种场景需求。
- 视频制作：借助 DeepSeek 的 AI 脚本文案功能，结合其他 AI 图像工具，你能快速生成引人入胜的宣传视频、产品展示视频，甚至捕捉人物神韵的人像视频的提示词，让内容更具表现力。

DeepSeek 不仅是一个工具，更是一个创作伙伴，它帮助你将灵感转化为爆款内容，让创作变得轻松而高效。

2. AI 如何赋能引流：从流量到用户的精准转化

在新媒体与自媒体的世界里，流量是生命线，但如何从海量信息中脱颖而出，吸引并留住精准用户，是每一个运营者必须解决的难题。DeepSeek AI 大模型为引流提供了全新的解决方案。

- 热点追踪与内容创作：DeepSeek 能够实时捕捉热点话题，生成创意内容，帮助你在竞争中抢占先机。
- 社群与广告引流：无论是公域平台的社群引流，还是私域流量的精细化运营，DeepSeek 都能提供精准的用户画像和营销方案，提升转化率。
- 直播引流：通过智能生成直播脚本和优化直播效果，DeepSeek 助力你在直播营销中实现流量与收益的双赢。

DeepSeek 让引流不再是盲目的尝试，而是基于数据与用户洞察的精准行动。

3. AI 如何赋能盈利：从内容到收入的高效转化

创作与引流的最终目标是实现盈利，而 DeepSeek 的 AI 能力让这一过程变得更加高效与可持续。

- 内容变现：通过 AI 生成爆款内容，DeepSeek 帮助你在电商卖货、品牌合作、付费会员等模式中实现收入最大化。
- 多元化盈利路径：无论是开设 AI 教学课程、打造 IP，还是精准投放广告，DeepSeek 都能为你提供从策略到执行的全流程支持。

- 数据驱动决策：DeepSeek 通过数据分析，帮助你优化运营策略，提升 ROI，确保每一次投入都能带来最大回报。

DeepSeek 不仅是创作与引流的助手，更是盈利的加速器，它让你的内容真正成为财富的源泉。

三、本书特色

本书以“AI 赋能运营”为核心理念，深度融合国家创新驱动发展战略，为运营者量身打造破局之道。在初版亮点基础上，重磅升级三大核心优势。

亮点 1：全链路 AI 赋能

- 创作端：DeepSeek 提供 120+ 创作场景模板，从标题生成到内容扩展，平均创作效率提升 300%。实测数据显示，使用 DeepSeek 的运营者内容产出量是传统方式的 4.7 倍。
- 引流端：AI 驱动的精准用户画像系统，将引流转化率从行业平均 6% 提升至 23%，公域到私域的流量沉淀效率提升 5.2 倍。
- 盈利端：智能商业分析模块可自动生成 15 种盈利模式适配方案，帮助运营者在 3 个月内将账号收入结构多元化，平均增长幅度达 68%。

亮点 2：实战派教学体系

- 案例库：收录 32 个行业头部案例的深度解析，涵盖美妆、知识付费、本地生活等 18 个垂直领域，每个案例均附带可复用的 AI 提示词库。
- 操作手册：首创“三阶操作指南”，从基础功能熟悉到进阶技巧掌握，再到商业实战应用，配套 230 分钟同步教学视频实现“看视频—学操作—出成果”的闭环学习。
- 资源宝库：赠送价值千元的运营素材包，包含 138 个效果模板、8 个黄金级素材库，所有资源均经过运营团队验证，直接套用即可产生流量。

亮点 3：前沿技术落地

- 多模态创作：深度集成 DeepSeek、即梦、可灵三大 AI 引擎，实现文本—图像—视频的无缝创作转换，15 分钟即可完成用传统方法需要 3 天才能完成的完整内容生产。
- 数据驱动优化：内置智能分析仪表盘，实时监测 18 项关键运营指标，自动生成优化建议，让每个运营决策都有数据支撑。

- 场景化解决方案：针对抖音、小红书等 12 大主流平台定制专属运营策略，例如抖音短视频的“黄金 7 秒”AI 剪辑模板，可使完播率提升 41%。

四、教学资源

本书提供的配套教学资源及数量如下表所示。

教学资源及数量表

序号	教学资源	数量
1	素材	8 个
2	教案	11 课
3	提示词	118 条
4	效果	138 个
5	视频	170 个
6	课件	160 页 +

五、获取方式

如果读者需要获取书中案例的素材、回复、效果、视频和课件，请使用微信“扫一扫”功能扫描下列二维码即可。

六、特别提示

1. 本书涉及的各大软件和工具的版本：DeepSeek App V1.1.1（57）、即梦 AI App V1.4.2、可灵 AI App V1.1.30（92）、剪映电脑版 V5.7.0。

2. 本书在编写的过程中，是根据软件和工具的当前最新版本的实际操作截取的图片，但书从编辑到出版需要一段时间，在此期间，这些工具的版本、功能和界面可能会有变动，请在阅读时，根据书中的思路，举一反三，进行学习。

3. 需要注意的是，即使是相同的提示词，AI 工具每次生成的回复和效果也会存在差别，因此在扫码观看教程时，读者应把更多的精力放在提示词的编写和实际操作的步骤上。

4. 由于篇幅原因，AI 工具的回复内容只展示要点，详细的回复文案，请看随书提供的完整文件。

5. 版本说明：本书以手机版为主，网页版为辅，但其操作步骤其实差不多，大家可以跟着书中步骤进行操作。

6. 新媒体和自媒体两者在底层逻辑和运营体系层面具有深度融通性。本书构建的知识框架既适用于新媒体平台化运营，也可迁移至自媒体个人化表达。

七、编写团队

本书由谭贤、孙建东编著，参与资料整理的人员还有毛文静、吴梦梦，在此对参编人员表示感谢。由于编写人员知识水平有限，书中难免有疏漏之处，恳请广大读者批评、指正。

目 录

【入门篇】

【创作篇】

【平台篇】

【引流篇】

【盈利篇】

【入门篇】

第 1 章 想快速上手 DeepSeek？看这一章就够了

DeepSeek 作为人工智能技术前沿的杰出代表，不仅能够流畅地与用户进行自然语言对话、协助内容创作，更致力于将便利与高效融入每一位用户的新媒体与自媒体内容创作与运营中。本章将全面介绍 DeepSeek，帮助大家快速熟悉 DeepSeek 的各个常用功能，从而提升创作效率。

1.1 快速掌握DeepSeek，开启新篇章

在数字时代，人工智能（Artificial Intelligence，AI）正在逐步改变人们的创作方式。DeepSeek 作为一款领先的 AI 创作工具，凭借其卓越的性能和广泛的应用领域，正引领着新媒体和自媒体创作迈向新纪元。本节将为大家详细介绍 DeepSeek。

1.1.1 DeepSeek 是什么？一文读懂

扫码看教学视频

DeepSeek，全称为杭州深度求索人工智能基础技术研究有限公司，是一家成立于 2023 年 7 月 17 日的创新型科技公司，专注于先进大语言模型（Large Language Model，LLM）及相关技术的研发。

DeepSeek 的推出立即引发了市场对美国科技行业竞争力的质疑，导致人工智能主题股票被大量抛售。同时，DeepSeek 开发的移动应用，如图 1-1 所示，登顶苹果手机应用商店美国区免费应用榜单。

图 1-1　DeepSeek 的移动应用

目前，DeepSeek 公司已经成功推出了两款大语言模型：V3 和 R1。2024 年底，该公司发布了新一代大语言模型 V3，并宣布开源。DeepSeek V3 模型在多项评测中超越了主流开源模型，同时展现出明显的成本优势。V3 模型拥有 6710 亿个参数，被训练了 55 天，用了 14.8 万亿个词元的数据集，成本约为 558 万美元。经过测试，V3 模型在性能上与 GPT-4o、Claude 3.5 sonnet 等行业领先模型相当。

2025 年 1 月 20 日，DeepSeek 在世界经济论坛年会开幕当天发布了最新开源模型 R1，再次吸引了全球人工智能领域人员的目光。R1 模型在技术上实现了重要突破，采用纯深度学习的方法让 AI 自发涌现出推理能力，性能可与美国开放

人工智能研究中心（OpenAI）的 o1 模型正式版比肩，如图 1-2 所示。值得一提的是，R1 模型的训练成本仅为 560 万美元，远低于美国科技巨头在人工智能技术上投入的数亿美元乃至数十亿美元。

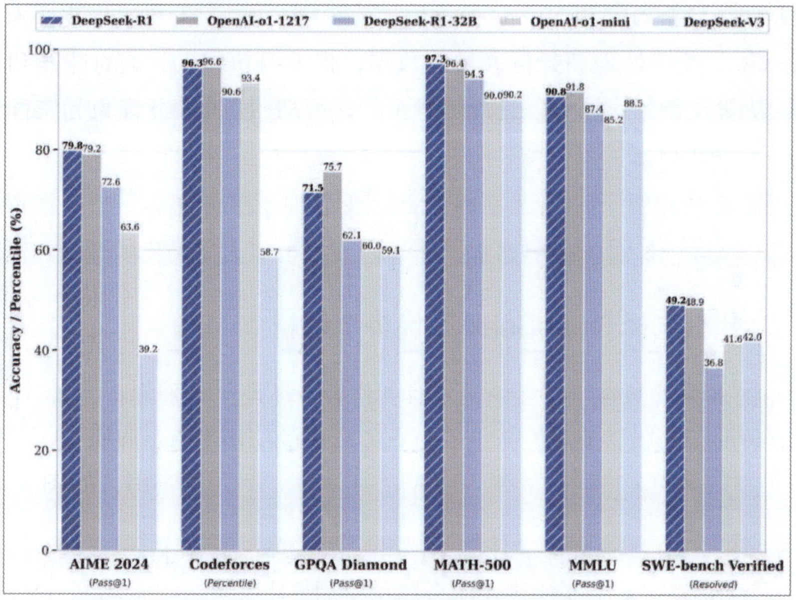

图 1-2　DeepSeek 与其他模型的性能对比

R1 模型擅长逻辑推理、数学推理和实时解决问题，通过学习强化和群体相对策略优化（GRPO）训练，让自己的推理能力日益强大。DeepSeek 的大语言模型不仅可以给出答案，还会展示推理和思考的过程，降低了对使用者提问水平的要求。即使是没有 AI 提示词基础的小白，也能通过深度思考功能得到详尽的答案。

1.1.2　DeepSeek 功能大揭秘

扫码看教学视频

DeepSeek 结合了自然语言处理（Natural Language Processing，NLP）、计算机视觉（Computer Vision，CV）、数据分析等先进技术，旨在为用户提供高效、智能的解决方案。下面为大家介绍相应的功能。

（1）文本生成与处理

DeepSeek 能够基于用户提供的主题、关键词或情境，自动生成连贯、有逻辑性的文本内容。它支持多种文本风格的创作，如新闻报道、小说、短视频脚本、小红书笔记等，可以满足用户不同的创作需求。

（2）图像处理与识别

DeepSeek 能够根据用户的描述或指令，结合其他工具，生成符合要求的图像内容，如海报、人物肖像等。

（3）数据分析与预测

DeepSeek 能够处理和分析大量的数据，提取有价值的信息，为用户提供数据驱动的决策支持。它还可以进行趋势预测，帮助用户把握未来的市场动向。

（4）自动化任务

通过简单的配置，DeepSeek 能够自动化处理重复性任务，如营销推广、活动策划等。这一功能极大地提高了工作效率，减少了人工操作的烦琐和错误率。

1.1.3 为什么选择 DeepSeek？优势全解析

扫码看教学视频

DeepSeek 的优势在于，无论是专业创作者，还是业余爱好者，都能获得有效的帮助和显著的提升。下面介绍具体的应用案例，如图 1-3 所示。

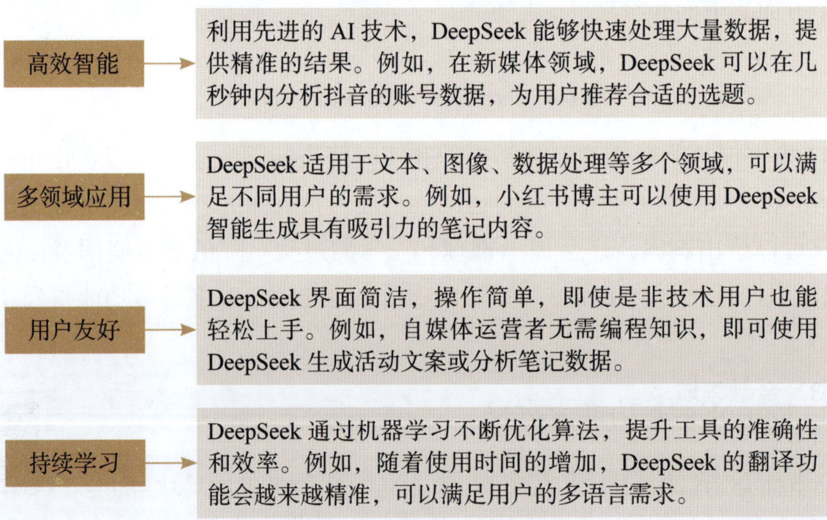

图 1-3 DeepSeek 的优势案例

1.1.4 DeepSeek 实战场景，应用无限可能

扫码看教学视频

DeepSeek 作为一款多功能的 AI 创作工具，其应用场景非常广泛，涵盖了多个领域和行业，如创意产业、教育领域、金融领域、企业应用、医疗行业等。

这些应用场景不仅覆盖了传统行业，还涉及新兴领域，如元宇宙、虚拟现实等，展示了 DeepSeek 的广泛适用性和潜力。下面介绍 DeepSeek 在各领域的应用。

（1）创意产业

DeepSeek 凭借其强大的语义解析与创意生成能力，正在成为新媒体创作领域得力的生产力工具。下面介绍具体的应用案例，如图 1-4 所示。

内容创作 → DeepSeek 可以生成高质量的文案、图像等，帮助创意工作者提高效率。例如，一位自媒体运营者使用 DeepSeek 生成文案和创意图像，节省了大量时间。

视频剪辑 → DeepSeek 可以辅助视频剪辑，提供特效和字幕的创作方向。例如，一位短视频创作者使用 DeepSeek 辅助剪辑视频，制作高质量的内容。

图 1-4　创意产业应用案例

（2）教育领域

DeepSeek 在教育领域的应用场景相当广泛，主要涵盖教学支持、作业辅导等多个方面。下面介绍具体的应用案例，如图 1-5 所示。

智能辅导 → DeepSeek 可以根据学生的学习情况，生成个性化的学习计划。例如，一位学生使用 DeepSeek 进行数学辅导，系统根据学生的错题生成针对性的练习题。

作业批改 → DeepSeek 可以自动批改作业，提供详细的反馈。例如，一位教师使用 DeepSeek 批改学生的作文，系统不仅给出分数，还提供改进建议。

图 1-5　教育领域应用案例

（3）金融领域

随着技术的不断发展和完善，DeepSeek 在金融领域的应用也越来越广泛和深入。下面介绍具体的应用案例，如图 1-6 所示。

风险评估 → DeepSeek 可以分析金融数据，预测市场风险。例如，一家投资公司使用 DeepSeek 分析股票市场的数据，预测市场趋势。

自动化预测 → DeepSeek 可以根据以往的市场数据，预测未来的趋势。例如，一位投资者使用 DeepSeek 进行市场趋势预测，了解未来市场，更好地进行投资。

图 1-6　金融领域应用案例

（4）企业应用

DeepSeek 在企业的应用场景非常多样，通过利用 DeepSeek 的 AI 能力，企业可以实现多种目标。下面介绍具体的应用案例，如图 1-7 所示。

市场分析 → DeepSeek 可以分析市场数据，生成可视化报告，帮助企业制订营销策略。例如，一家零售公司使用 DeepSeek 分析消费者的行为数据，发现某类产品的销量在特定时间段内显著上升，从而调整促销活动。

客户服务 → DeepSeek 可以作为智能客服，自动回答客户问题，提升客户满意度。例如，一家电商平台使用 DeepSeek 处理大量客户咨询，减少人工客服的工作量。

图 1-7　企业应用案例

（5）医疗行业

DeepSeek 的强大逻辑推理能力可以为医生提供更为精准的临床决策支持，帮助医生在复杂多变的临床环境中做出更为合理的治疗选择。下面介绍具体的应用案例，如图 1-8 所示。随着技术的不断进步和应用场景的不断拓展，DeepSeek 有望在医疗行业中发挥更加重要的作用。

图像识别 → DeepSeek 可以识别医学影像，辅助医生进行诊断。例如，一家医院使用 DeepSeek 分析 X 光片，从而快速识别出患者的肺部病变。

病历分析 → DeepSeek 可以分析患者的病历数据，提供治疗建议。例如，一位医生使用 DeepSeek 分析患者的病历，系统根据历史数据推荐最佳治疗方案。

图 1-8　医疗行业应用案例

1.2　DeepSeek手机版，随时随地智能应用

DeepSeek 手机版为用户提供了一系列智能功能，旨在提升用户在移动端的创作效率和便捷性。本节将向大家介绍 DeepSeek 手机版的下载和安装，并着重介绍它的主要功能，帮助大家可以更好地利用 DeepSeek 进行新媒体和自媒体内容创作。

1.2.1　一键安装，开启智能之旅

扫码看教学视频

DeepSeek 手机版，全称为“DeepSeek-AI 智能对话助手”，其界面设计简洁明了，用户友好性高。无论是 iOS（苹果）还是安卓系统，用户都可以在应用商店轻松下载并安装。下面介绍安装 DeepSeek 手机版的操作方法，以安卓系统手机为例。

步骤 01 打开应用商店，点击界面上方的搜索按钮 Q，如图 1-9 所示。

步骤 02 进入搜索界面，❶ 搜索 DeepSeek；❷ 在搜索结果中点击对应软件右侧的“安装”按钮，如图 1-10 所示，即可下载并安装 DeepSeek 手机版。

步骤 03 安装完成后，点击软件右侧的“打开”按钮，如图 1-11 所示。

图 1-9　点击搜索按钮

图 1-10　点击“安装”按钮

图 1-11　点击“打开”按钮

步骤 04 执行操作后，进入 DeepSeek 手机版，在弹出的“欢迎使用 DeepSeek”面板中，点击“同意”按钮，如图 1-12 所示。

步骤 05 进入登录界面，❶ 选中相应复选框；❷ 输入手机号和验证码；❸ 点击“登录”按钮，如图 1-13 所示，稍等片刻，用户即可使用手机号和验证码进行登录。除此之外，用户还可以使用微信进行登录。

图 1-12　点击“同意”按钮

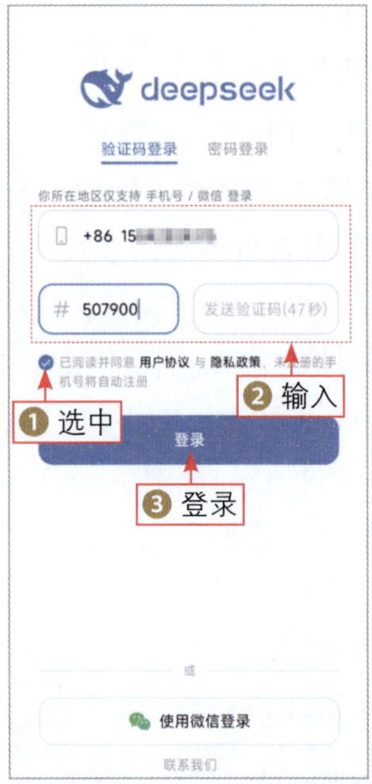

图 1-13　点击“登录”按钮

步骤 06 完成登录后，进入 DeepSeek 的“新对话”界面，其主要组成部分如图 1-14 所示。

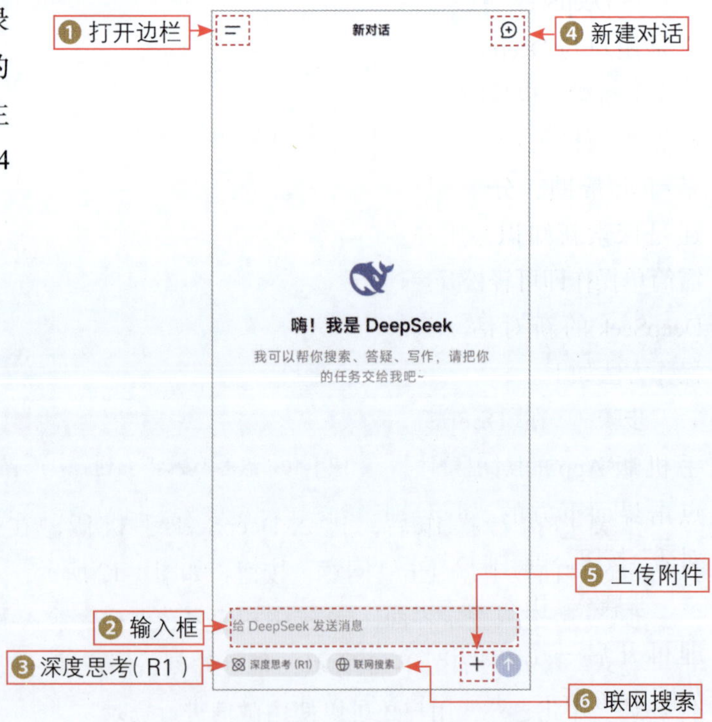

图 1-14　DeepSeek“新对话”界面的组成

下面对 DeepSeek“新对话”界面中的主要组成部分进行分别讲解。

❶ 打开边栏〓：点击该按钮，即可看到最近 7 天内的对话记录和用户信息。

❷ 输入框：用户可以在这里输入提示词，以获得 DeepSeek 的回复。

❸ 深度思考（R1）：点击该按钮即可打开“深度思考”模式，当用户向 DeepSeek 提问时，可以观察如何逐步分析并解答问题，有助于增加答案的透明度和可信度。

❹ 新建对话⊕：点击该按钮，会新建一个对话窗口，用户可以与 AI 讨论新的话题或让 AI 重新对上一个话题进行回复。

❺ 上传附件＋：点击该按钮，会弹出相应面板。用户可以点击“拍照识文字”“图片识文字”或“文件”按钮，要求 DeepSeek 识别出其中的文字信息。

❻ 联网搜索：点击该按钮即可打开“联网搜索”模式，在此模式下，DeepSeek 能够搜索实时信息，快速整合并给出详尽的回答，同时提供信息来源，确保对话的丰富性和准确性。

1.2.2　开启新对话，实现高效沟通

扫码看教学视频

在 DeepSeek 手机版的基础功能中，开启新对话是至关重要的一环。它是用户与 DeepSeek 建立联系的桥梁，也是信息交流和思想碰撞的起点。无论是寻求帮助、分享想法，还是探索新知识，用户只需简单操作即可轻松开启与 DeepSeek 的新对话，具体操作方法如下。

步骤 01 在 DeepSeek 手机版 App 的对话界面，点击界面下方的“开启新对话”按钮，如图 1-15 所示。

步骤 02 执行操作后，即可开启一个新的对话，如图 1-16 所示。

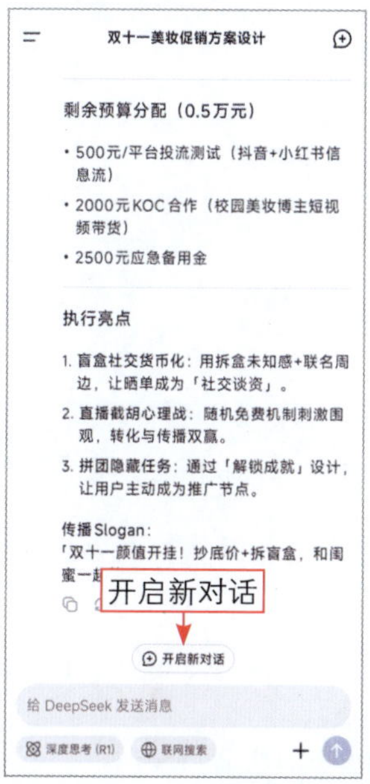

图 1-15　点击“开启新对话”按钮

图 1-16　开启一个新的对话

1.2.3　深度思考，挖掘思维潜力

扫码看教学视频

用户可以开启 DeepSeek 手机版的“深度思考”模式，以便 DeepSeek 对用户的提问进行深度思考，从而生成更加有深度和专业性的回复。下面介绍使用 DeepSeek“深度思考”模式的操作方法。

步骤 01 在 DeepSeek 手机版 App 的“新对话”界面，点击输入框下方的“深度思考（R1）”按钮，如图 1-17 所示，开启后，该按钮会变成蓝色。

步骤 02 在提示词输入框中，输入相应的提示词，用于指导 DeepSeek 生成特定的内容，如图 1-18 所示。

步骤 03 点击 按钮，即可将提示词发送给 DeepSeek，DeepSeek 会根据要求生成所需的内容，相关提示词和回复内容如下。

图 1-17　点击“深度思考（R1）”按钮

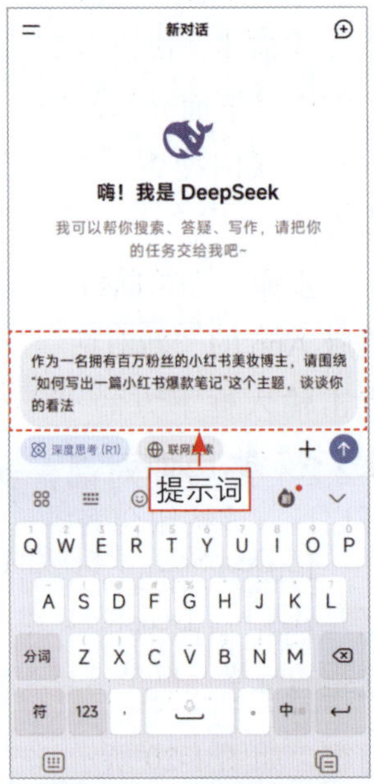

图 1-18　输入相应提示词

提示词

作为一名拥有百万粉丝的小红书美妆博主，请围绕“如何写出一篇小红书爆款笔记”这个主题，谈谈你的看法

DeepSeek

作为拥有百万粉丝的小红书美妆博主，我总结出打造爆款笔记的5大核心逻辑，结合实战案例为你拆解底层方法论：

一、标题公式：制造「信息缺口」的3秒钩子

1. 痛点＋解决方案：“毛孔插秧自救指南！从草莓鼻到剥壳鸡蛋的30天”

2. 反常识＋场景化：“别买贵妇面霜！学生党50元搞定换季烂脸（附教程）”

……

☆ 专家提醒

由于本书篇幅有限，AI 工具回复的内容只展示要点，详细的回复内容，请看随书提供的效果完整文件。

1.2.4　联网搜索，资讯瞬间可得

扫码看教学视频

DeepSeek 手机版的“联网搜索”模式允许用户通过输入相关的问题或描述，快速搜集到最新消息，从而满足用户的信息查询与搜集的需求。下面介绍使用 DeepSeek“联网搜索”模式的操作方法。

步骤 01 在 DeepSeek 手机版 App 的“新对话”界面，点击输入框下方的“联网搜索”按钮，如图 1-19 所示，开启后，该按钮会变成蓝色。

步骤 02 在提示词输入框中，输入相应的提示词，用于指导 DeepSeek 生成特定的内容，如图 1-20 所示。

步骤 03 点击⬆按钮，即可将提示词发送给 DeepSeek，DeepSeek 会根据要求生成所需的内容，相关提示词和回复内容如下。

图 1-19　点击“联网搜索”按钮

图 1-20　输入相应提示词

提示词

最近一个月，有哪些深受大众关注和讨论的话题

DeepSeek

根据2025年2月11日前后一个月内的热点信息，以下是受到广泛关注和讨论的主要话题分类及要点总结：

一、文化与娱乐

1.《×××》票房与海外表现

电影《×××》总票房突破11.52亿美元，进入全球影史票房前30名，成为唯一非好莱坞影片……

1.2.5 拍照识文，文字识别新技巧

扫码看教学视频

“拍照识文字”功能是一种便捷的信息获取方式，用户只需用手机拍摄包含文字段落、物体细节等内容的图片，DeepSeek 即可自动识别相关信息，快速回复相关解答或资料。该功能结合了图像识别与搜索引擎技术，极大地提升了解决问题的效率，尤其适用于提取文字、解答专业问题或快速获取实物信息等，是学习与工作中不可或缺的智能助手。下面介绍使用“拍照识文字”快速提取信息的操作方法。

步骤 01 进入“新对话”界面，在输入框下方点击上传附件按钮＋，如图 1-21 所示。

步骤 02 展开相应面板，选择“拍照识文字”选项，如图 1-22 所示。

步骤 03 进入拍摄界面，对准需要拍摄的内容，点击界面下方的“拍照”按钮，如图 1-23 所示。

图 1-21 点击上传附件按钮

图 1-22 选择“拍照识文字”选项

图 1-23 点击“拍照”按钮

步骤 04 执行操作后，即可完成拍照，点击右下角的按钮，如图 1-24 所示。

步骤 05 稍等片刻，即可将拍到的照片上传，如图 1-25 所示。

步骤 06 在输入框中输入相应的提示词，指导 DeepSeek 提取图片中的文字，如图 1-26 所示。

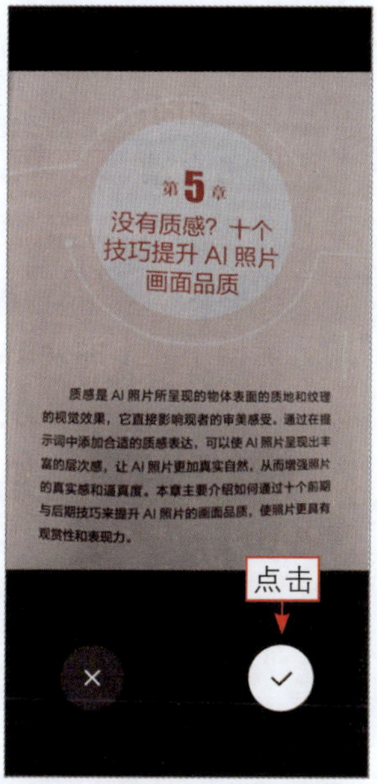

图 1-24　点击相应按钮

图 1-25　上传照片

图 1-26　输入相应提示词

步骤 07 点击发送按钮，即可获得 DeepSeek 的回复，相关提示词和回复内容如下。

提示词

提取图片中的文字信息

DeepSeek

根据提供的文件内容，以下是提取的文字信息：
第5章
没有质感？十个技巧提升AI照片画面品质
质感是AI照片所呈现的物体表面的质地和纹理的视觉效果，它直接影响观者的审美感受。在提示词中添加合适的质感表达，可以使AI照片呈现出丰富的层次感，让AI照片更加真实自然，从而增强照片的真实感和逼真度。本章主要介绍如何通过十个前期与后期技巧来提升AI照片的画面品质，使照片更具有观赏性和表现力。
……

1.2.6　图片转文，视觉资讯即刻成文

扫码看教学视频

“图片识文字”功能和“拍照识文字”功能基本相似，都可以帮助用户提取文字、总结图片上的文字内容以及根据图片上的文字内容进行专业解答，具体操作如下。

步骤 01 进入“新对话”界面，在输入框下方点击上传附件按钮＋，展开相应面板，选择“图片识文字”选项，如图 1-27 所示。

步骤 02 进入相应界面，❶选择需要上传的图片；❷点击下方的“添加”按钮，如图 1-28 所示。

步骤 03 执行操作后，即可上传选择的图片，如图 1-29 所示。

图 1-27 选择“图片识文字”选项

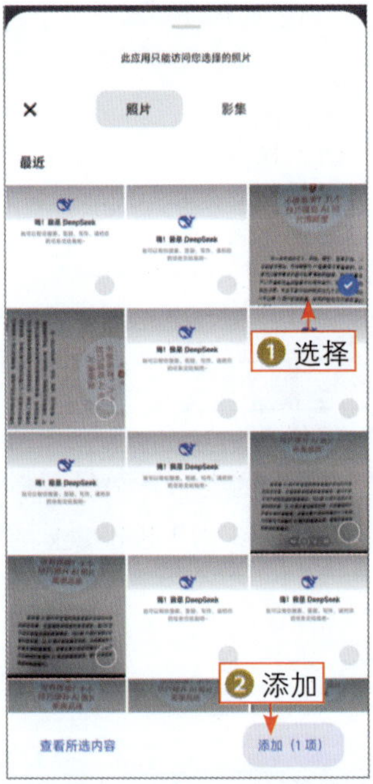

图 1-28 点击“添加”按钮

图 1-29 上传图片

步骤 04 输入相应的提示词，点击发送按钮，DeepSeek 即可根据提示词快速生成相应的回复，相关提示词和回复内容如下。

提示词

识别图片中的文字信息

DeepSeek

图片中的文字信息如下：
第6章
不够高清？九个技巧提高AI照片清晰度
在一些应用场景下，例如，摄影、医学影像、卫星图像等领域，高分辨率的AI图像是非常重要的，这样可以提供更多的细节和更清晰的图像，使得观看者可以更清晰地看到图像中的细微差别，增强了图像的视觉效果。本章主要介绍如何通过九个前期和后期技巧来提高AI照片的清晰度，使用户轻松获得高质量的AI照片。

☆ 专家提醒

“文件识文字”功能和“图片识文字”功能基本相似，其操作步骤也基本一致。两者不同之处在于“文件识文字”功能通过上传文件识别文字，而“图片识文字”功能通过上传图片识别文字。由于篇幅有限，本章不再进行赘述。

1.3　DeepSeek网页版，高效应用新体验

DeepSeek 能够理解用户输入的提示词并完成问答、阅读文件、文本创作、编写代码等多种任务。本节将向大家介绍 DeepSeek 网页版的注册与登录，并介绍几个常用的功能，帮助大家快速熟悉 DeepSeek 网页版的使用方法。

1.3.1　注册登录，接入智能平台

扫码看教学视频

DeepSeek 网页版是一款功能丰富、用户友好的在线人工智能工具，其操作页面简洁明了、直观。无论是初次使用还是经验丰富的用户，都能迅速上手并找到所需功能。下面介绍注册与登录 DeepSeek 网页版的操作方法。

步骤 01 在浏览器（如 360 浏览器）中搜索“DeepSeek”，打开 DeepSeek 网页，单击“开始对话”按钮，如图 1-30 所示。

步骤 02 进入登录界面，❶选中相应复选框；❷输入手机号和验证码；❸单击“登录”按钮，如图 1-31 所示，稍等片刻，用户即可使用手机号和验证码进行登录。

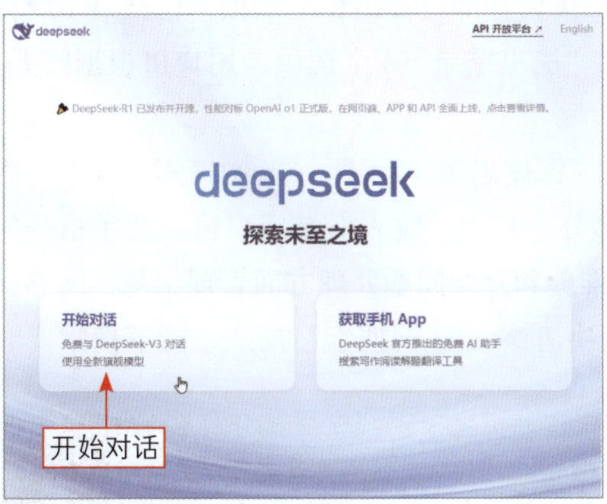

图 1-30　单击“开始对话”按钮

图 1-31　单击“登录”按钮

☆ **专家提醒**

除了用手机号登录，用户还可以使用微信扫码进行登录，单击“使用微信扫码登录”按钮，弹出“微信扫码登录”面板，使用手机微信进行扫码，获取微信授权后，即可完成登录，进入 DeepSeek 对话页面。

步骤 03 完成登录后，默认进入 DeepSeek 对话页面，其组成如图 1-32 所示。

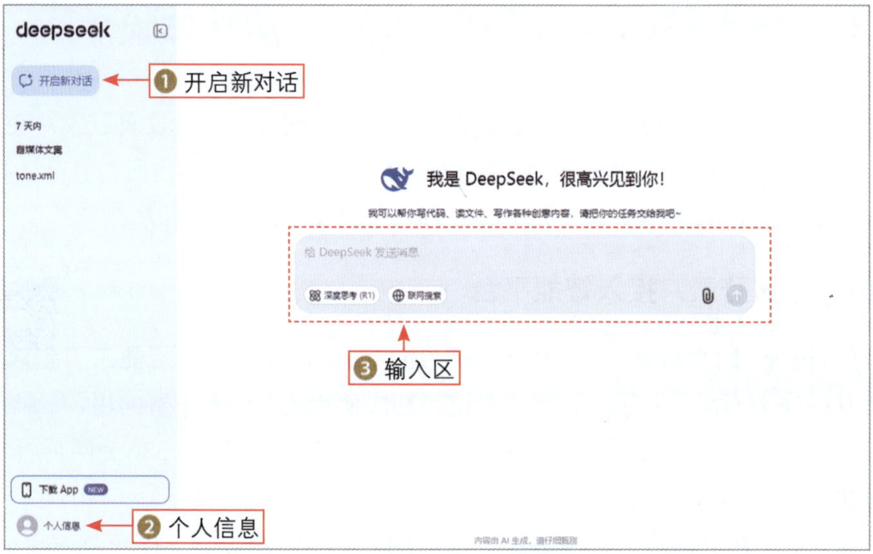

图 1-32　DeepSeek 对话页面的组成

下面对 DeepSeek 对话页面中的主要组成部分进行分别讲解。

❶ 开启新对话：单击“开启新对话”按钮，能为用户开启一个全新的、独立的对话窗口，使用户与 DeepSeek 的交流更加高效和清晰。

❷ 个人信息：单击“个人信息”按钮，即可弹出相应面板，包括“系统设置”“删除所有对话”“联系我们”和“退出登录”4 个选项，用户可根据需要，单击相应按钮进行设置。

❸ 输入区：该区域包括输入框、“深度思考（R1）”、“联网搜索”、“上传附件（仅识别文字）”和“发送”5 个部分。其中，输入框是用户输入文字指令的位置；“深度思考（R1）”模式在逻辑推理和复杂问题处理方面表现出色，能够深入剖析问题的本质并给出有价值的解决方案；“联网搜索”模式，能够搜索实时信息，快速整合并给出详尽的回答。

1.3.2　对话升级，网页版沟通新享受

扫码看教学视频

当用户与 DeepSeek 完成一个话题的交流后，只需单击页面左上

角的“开启新对话”按钮，即可展开新一轮的对话，同时，之前的对话内容将会在当前页面被清除，保存至历史对话记录栏。下面介绍在 DeepSeek 中开启新对话的操作方法。

步骤 01 在 DeepSeek 左侧的导航栏中，单击“开启新对话”按钮，或者单击页面下方的“开启新对话”按钮，如图 1-33 所示。

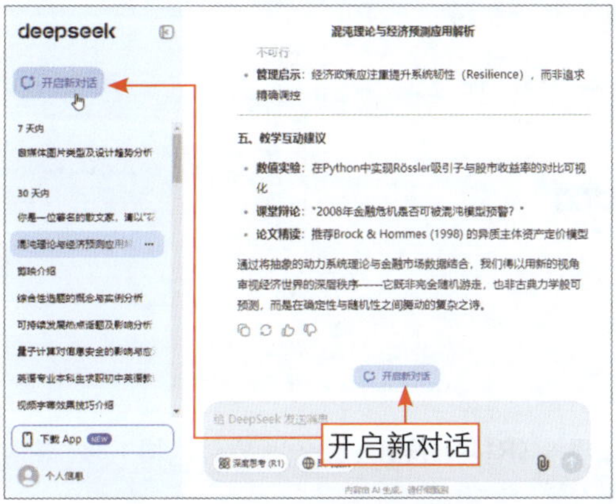

图 1-33　单击“开启新对话”按钮

步骤 02 执行操作后，即可开启一个新的对话页面，如图 1-34 所示。

图 1-34　开启一个新的对话页面

1.3.3　深度解析，思考模式大揭秘

扫码看教学视频

DeepSeek 的“深度思考”模式能够对给定的问题进行多维度、多层次、系统性的分析和推理，不会仅仅提供一个表面的答案。下面介绍使用 DeepSeek“深度思考”模式的操作方法。

步骤 01 在 DeepSeek 页面，单击输入区中的“深度思考（R1）”按钮，如图 1-35 所示，开启后，该按钮会变成蓝色。

步骤 02 在提示词输入框中，输入相应的提示词，用于指导 DeepSeek 生成特定的内容，如图 1-36 所示。

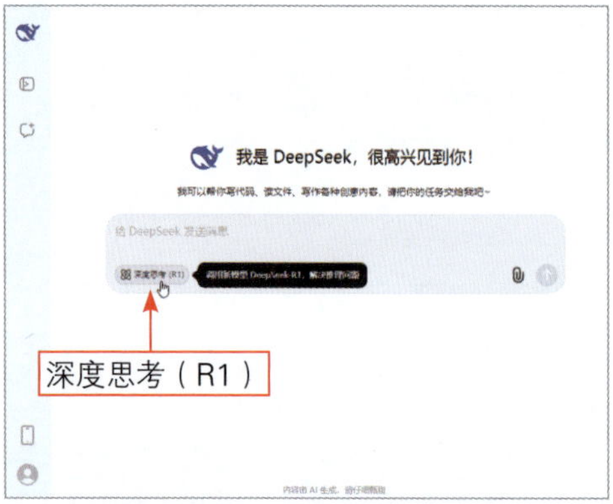

图 1-35　单击“深度思考（R1）”按钮

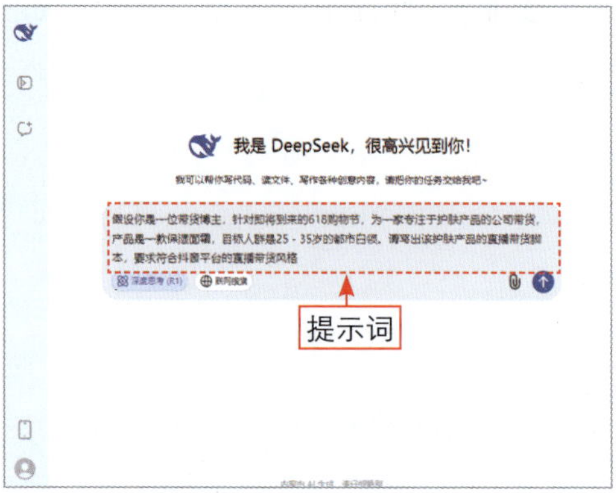

图 1-36　输入相应提示词

步骤 03 单击发送按钮 或按【Enter】键确认，即可将提示词发送给 DeepSeek，DeepSeek 会根据要求生成所需的内容，相关提示词和回复内容如下。

提示词

假设你是一位带货博主，针对即将到来的618购物节，为一家专注于护肤产品的公司带货，产品是一款保湿面霜，目标人群是25～35岁的都市白领。请写出该护肤产品的直播带货脚本，要求符合抖音平台的直播带货风格

DeepSeek

以下是专为618购物节设计的抖音风格保湿面霜直播带货脚本，结合产品卖点、用户痛点及平台特色：

【开场30秒】

（动感音乐渐起，镜头由远拉近）

主播：“哈喽宝宝们！欢迎来到XXX护肤直播间！今天是618狂欢3小时倒计时，你们的熬夜急救包来啦！”（高举面霜盒子转圈展示）

【产品引入1分钟】

……

1.3.4　联网搜索，信息查找加速器

DeepSeek 能够利用最新的在线数据来提供答案，这不仅提高了答案的准确度，也保证了信息的新鲜度和相关性。在处理查询任务

扫码看教学视频

时，DeepSeek 会综合考量多个信息源，从中挑选出最恰当的内容，以满足用户的查询需求。下面介绍使用 DeepSeek“联网搜索”模式的操作方法。

步骤 01 在 DeepSeek 页面，单击输入区中的“联网搜索”按钮，如图 1-37 所示，开启后，该按钮会变成蓝色。

步骤 02 在提示词输入框中，输入相应的提示词，如图 1-38 所示。

图 1-37　单击“联网搜索”按钮

图 1-38　输入相应提示词

步骤 03 单击发送按钮或按【Enter】键确认，即可将提示词发送给 DeepSeek，DeepSeek 会根据要求生成所需的内容，相关提示词和回复内容如下。

提示词

请详细分析抖音平台在最近一个月内涌现出的爆款短视频类型

DeepSeek

根据近期抖音平台的内容动态与搜索结果分析，以下为最近一个月内涌现的爆款短视频类型及其特点：

一、AI技术与创意结合类

豆包AI功能应用：抖音近期接入豆包App的AI能力，创作者利用AI生成特效、对话脚本或图像素材，制作更具创意的视频……

1.3.5　附件识文，信息处理助手

DeepSeek 的上传附件识别文字功能，允许用户轻松上传各类文档和图片，迅速将其中的文字内容提取出来，无需再进行烦琐的手动输入。

扫码看教学视频

对于经常需要处理大量文档的用户来说，这一功能无疑大大提高了工作效率。无论是 PDF、Word 等格式的文档，还是包含复杂排版和多种字体的图片，DeepSeek 都能准确识别其中的文字，并将其转换为可编辑的文本格式。下面介

绍使用 DeepSeek 上传附件识别文字功能的操作方法。

步骤 01 在 DeepSeek 页面，单击输入区中的“上传附件（仅识别文字）”按钮，如图 1-39 所示。

步骤 02 弹出“打开”对话框，选择需要上传的文档，如图 1-40 所示。单击“打开”按钮。

图 1-39　单击相应按钮

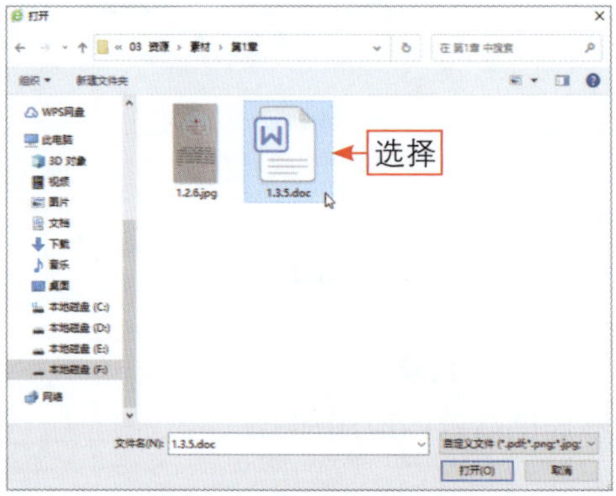

图 1-40　选择需要上传的文档

步骤 03 执行操作后即可上传文档，如图 1-41 所示。

步骤 04 输入相应的提示词，要求 DeepSeek 识别文档中的文字，如图 1-42 所示。

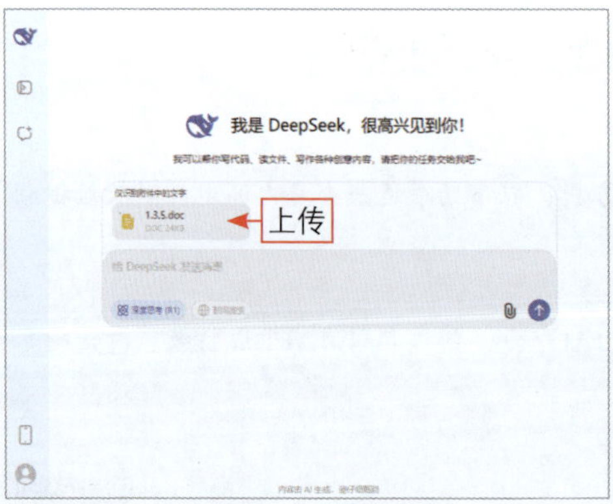

图 1-41　上传文档

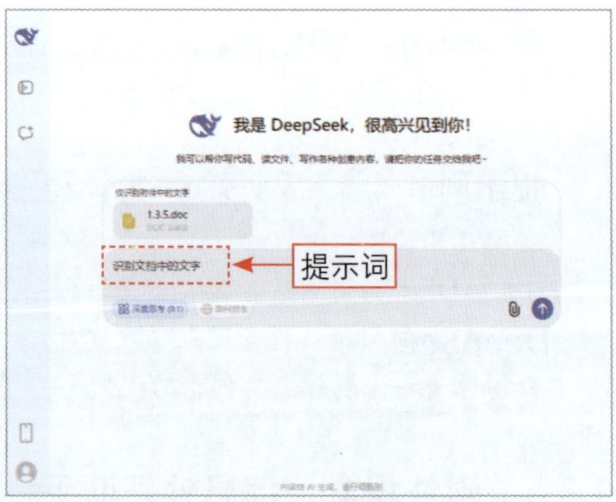

图 1-42　输入相应提示词

步骤 05 单击发送按钮或按【Enter】键确认，DeepSeek 会自动识别出文档中的文字，并给出经过其整理后的内容，相关提示词和回复内容如下。

提示词

识别文档中的文字

DeepSeek

与AI沟通的关键词编写原则
1. 语言明晰原则
（1）核心要求：准确表达词意、句意和语意，避免模棱两可或歧义的语言。
（2）意义：确保AI能清晰理解指令，减少因表述模糊导致的无效回复。
……

1.4　本章小结

本章首先介绍了DeepSeek的基本概念、核心功能以及优势；然后介绍了DeepSeek手机版的特点与应用，展现了DeepSeek在手机端的便捷与智能；最后，介绍了DeepSeek网页版的使用方法，突出了DeepSeek在网页平台上同样能够提供高效的应用体验的特点。

1.5　课后实训

扫码看教学视频

鉴于本章知识的重要性，为了帮助读者更好地掌握所学知识，本节将通过课后实训，帮助读者进行简单的知识回顾和补充。

实训任务：利用DeepSeek的“深度思考（R1）”模式，撰写一篇符合小红书平台风格的爆款笔记，相关案例如下。

提示词

请根据小红书平台的风格，以“夏日穿搭”为主题，写一篇小红书爆款笔记

DeepSeek

救命！这套夏日穿搭公式让我被闺蜜夸了三天！
正文：
姐妹们！杭州40℃的天气终于让我悟了，
夏日穿搭的终极奥义不是露肉，
而是用清爽感打败黏糊糊的燥热！
……

第 2 章
新媒体、自媒体运营难题？DeepSeek 来破解

在数字化时代，新媒体与自媒体的蓬勃发展为信息传播以及内容创作带来了前所未有的机遇。然而，随之而来的运营难题也日益凸显。面对这些挑战，DeepSeek 凭借其前沿的技术实力与深度的行业洞察，致力于为运营者提供全方位的解决方案，助力其突破困境，实现高效、可持续的发展。本章将深入探讨 DeepSeek 如何凭借独特优势，为运营者破解难题，开启全新的发展篇章。

2.1　新媒体与自媒体，你真的了解吗？

在当今这个信息爆炸的时代，新媒体与自媒体如同两股汹涌的浪潮，深刻地改变了人们获取信息、表达观点以及社交互动的方式。本节主要介绍新媒体和自媒体的定义以及两者的异同。

2.1.1　什么是新媒体？一文读懂

扫码看教学视频

新媒体是相对于传统媒体而言的概念。传统媒体主要包括报纸、杂志、广播、电视等。新媒体则是利用数字技术、网络技术等新兴技术手段，通过互联网、移动通信等渠道，以及电脑、手机、数字电视机等终端，为用户提供信息和服务的媒体形态。

例如，社交媒体平台（如微博、微信）、视频平台（如抖音、B 站）、新闻资讯客户端（如今日头条）、博客等多种形式都属于新媒体范畴。相对于报刊、户外广告、广播、电视四大传统意义上的媒体，新媒体被形象地称为“第五媒体”。

新媒体与传统媒体在多个方面都有所不同，以下是新媒体的 5 个特点，如图 2-1 所示。

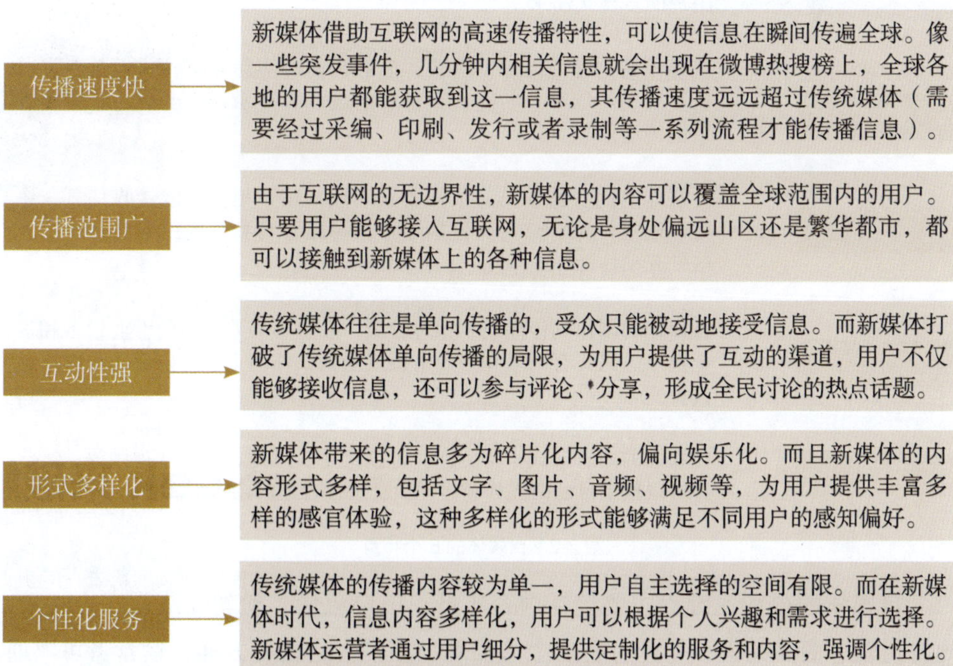

图 2-1　新媒体的 5 个特点

2.1.2 什么是自媒体？盈利关键点

扫码看教学视频

自媒体（We Media）是一种基于互联网平台，由普通大众通过网络等途径发布信息、制作内容、传播观点的一种新型媒体形式。自媒体是私人化、平民化、普泛化、自主化的传播者，以现代化、电子化的手段，向不特定的大多数或者特定的人体传递规范性及非规范性信息的新媒体的总称。

自媒体与传统媒体（如报纸、电视、广播等）的最大区别在于，自媒体的内容创作和传播主体是普通个人或小团队，而不是专业的媒体机构。在新媒体平台（包括微博、视频网站、直播平台、社交网络等）上，运营者可以自主地创作、编辑和发布文字、图片、音频、视频等多种格式的信息，并通过个人账号或者创建的频道与用户进行互动。下面介绍自媒体的 6 个特点，如图 2-2 所示。

去中心化	自媒体的内容创作和传播不再依赖于传统的媒体机构，而是由普通个人或小团队完成。这种去中心化的模式使得信息来源更加多元，不再局限于少数专业媒体。
个性化	自媒体的内容风格和主题高度个性化，运营者可以根据自己的兴趣、专长或生活经历来制作内容。这种个性化使得自媒体能够满足不同用户的多样化需求。
即时性	自媒体的内容传播速度极快，能够快速响应热点事件。运营者可以在事件发生的第一时间发布自己的观点或记录，甚至比传统媒体更早地传递信息。
互动性	自媒体的内容通常具有很强的互动性，用户不仅可以接收信息，还可以通过评论、点赞、分享等方式与运营者和其他用户进行互动。这种互动性能够增强用户的参与感和黏性。
低成本	自媒体的创作和传播成本相对较低，几乎不需要太多的专业设备和资金投入。只要有网络和一台手机或电脑，任何人都可以成为自媒体运营者。
多样性	自媒体的内容形式丰富多样，包括文字、图片、音频、视频等。运营者可以根据自己的优势和目标受众选择合适的内容形式进行发布。

图 2-2　自媒体的 6 个特点

自媒体的盈利关键点主要包括内容质量、用户流量、粉丝经济、广告收入、内容付费、商品销售、粉丝打赏、个人品牌、多平台运营等方面，运营者可以通过这些路径来实现盈利的目的。

2.1.3　新媒体与自媒体，异同全解析

扫码看教学视频

新媒体和自媒体是当今信息传播领域中两个重要的概念，它们既有相同点，也有许多不同点。

（1）相同点

新媒体和自媒体的相同点主要有 4 个，如图 2-3 所示。

基于互联网技术	两者都依托于互联网技术，借助网络平台进行信息的传播和分享。它们打破了传统媒体的时空限制，能够快速地将信息传递到全球各地。
内容形式多样化	两者都可以涵盖文字、图片、音频、视频等多种形式的内容，能够满足不同用户的需求和偏好。
互动性强	两者都强调与用户的互动。用户不仅可以接收信息，还可以通过评论、点赞、分享等方式参与内容的传播和讨论，形成良好的互动氛围。
传播速度快	借助互联网的高效传播特性，两者的信息都能够在短时间内迅速扩散，快速引发关注和讨论，具有很强的时效性。

图 2-3　新媒体和自媒体的相同点

（2）不同点

新媒体和自媒体的不同点主要有 6 个，如图 2-4 所示。

不同点	说明
定义和范围	新媒体：一个相对宽泛的概念，指的是利用数字技术、网络技术、移动技术等新兴技术手段进行信息传播的媒体形式。 自媒体：新媒体的一种具体形式，指的是普通大众通过网络平台自主创建、编辑、发布和传播信息的媒体形式。
主体和目的	新媒体：主体可以是个人、企业、机构、媒体组织等。其目的多种多样，包括传播信息、提供娱乐、商业推广、教育科普等。 自媒体：主体主要是个人或小团队，其目的往往更倾向于个人表达、兴趣分享、品牌建设、商业变现等。
内容生产方式	新媒体：内容生产方式较为多样，既可以由专业团队制作，也可以由用户自己生成内容。 自媒体：内容主要由运营者自己生产，具有较强的个人风格和独特视角。

图 2-4

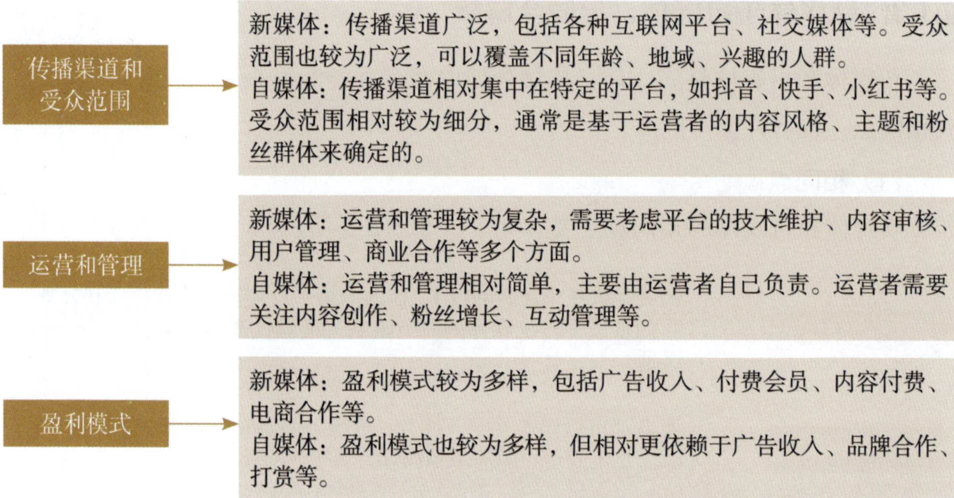

图 2-4　新媒体和自媒体的不同点

2.2　DeepSeek赋能新媒体，轻松搞定账号分析

DeepSeek 能够分析账号的运营数据、内容表现和用户反馈，帮助运营者精准定位问题。同时，它还可以根据账号的具体需求，提供定制化的运营策略和优化建议。本节主要介绍 DeepSeek 赋能新媒体的 5 种表现。

2.2.1　账号分析，实现新媒体精准定位

扫码看教学视频

在新媒体运营中，账号定位是成功的关键第一步。精准的账号定位能够帮助运营者在海量的内容中脱颖而出，吸引目标受众，提升账号的影响力和商业价值。

（1）账号分析的方法

账号分析是实现精准定位的基础。下面介绍几种账号分析的方法，可以深入了解账号的现状和用户的特征，从而为定位提供依据，如图 2-5 所示。

（2）DeepSeek 赋能账号分析

运营者可以利用 DeepSeek 进行新媒体账号分析，实现精准定位。以下是结合这些功能的详细分析方法。

1）用户画像与精准定位

用户画像分析是新媒体精准定位的基础。DeepSeek 可以通过以下方式帮助

运营者深入了解目标用户群体，如图 2-6 所示。

- 用户画像分析 → 通过分析账号粉丝的年龄、性别、地域、兴趣爱好等数据，描绘出典型用户画像，从而确定账号内容的风格和方向。
- 内容偏好分析 → 统计账号过往发布内容的互动数据，如点赞、评论、转发等，找出受欢迎的内容类型和主题，以此调整账号的内容定位。
- 竞品账号对比分析 → 研究同领域内其他成功的账号，分析其定位和优势，找出差异化竞争的切入点，避免与竞品账号正面冲突，实现精准定位。

图 2-5　账号分析的方法

- 多维度数据收集 → DeepSeek 能够抓取社交媒体平台上的用户评论、点赞、分享等行为数据，并结合用户的年龄、性别、地区、兴趣爱好等信息，生成详细的用户画像。
- 情感与行为分析 → 通过自然语言处理技术，DeepSeek 可以分析用户在社交媒体上的情感倾向和行为模式，帮助运营者理解用户需求和痛点。

图 2-6　了解目标用户群体的方式

2）账号定位与赛道分析

DeepSeek 可以帮助运营者进行账号定位以及赛道分析，如图 2-7 所示。

- 自我分析与差异化定位 → 借助 DeepSeek 的分析能力，输入自身身份、技能和目标领域等信息，生成差异化账号定位方案。
- 赛道竞争与机会挖掘 → 借助 DeepSeek 分析目标领域头部账号的定位差异，找出未被覆盖的细分市场机会点。

图 2-7　账号定位与赛道分析

3）内容策略优化

内容策略是新媒体运营的核心，也是实现新媒体平台目标和商业价值的关键因素。DeepSeek 可以通过以下方式帮助运营者实现内容策略优化，如图 2-8 所示。

- 内容方向与选题 → 根据用户画像和市场趋势分析，确定最有可能吸引目标群体的内容方向。通过分析目标受众的兴趣点，运营者可以在创作前明确内容主题，提高互动和点击率。

图 2-8

高效创作与优化 → 利用 DeepSeek 生成高点击率的标题和互动性文案，并不断对内容进行优化，提升创作效率，引导用户点赞、收藏。

风格适配与多平台发布 → 根据目标平台的特性，调整内容风格，实现一文多发。将同一核心内容改写为不同的风格，根据平台规则进行多矩阵分发。

图 2-8　实现内容策略优化的方式

2.2.2　数据分析，优化新媒体运营效果

扫码看教学视频

在新媒体运营中，数据分析是不可或缺的关键环节。它如同航海中的指南针，能够帮助运营者深入了解账号的现状、问题以及用户需求，从而有针对性地进行优化，提升运营效果。

（1）数据收集与整合

DeepSeek 可以帮助运营者进行数据收集与整合，如图 2-9 所示。

多平台数据解读 → DeepSeek 能够根据各大新媒体平台的运营数据，如阅读量、点赞数、评论数、转发数等，对新媒体账号的运营状况进行解读。

数据整合与规范化 → DeepSeek 可以将不同格式和来源的数据进行高效整合与规范化整理，生成清晰明了的数据报告。

图 2-9　数据收集与整合

（2）内容效果评估与优化

DeepSeek 通过多维度数据分析，能够精准评估内容的传播效果、用户互动率和情感反馈，帮助运营者评估内容效果并对其进行优化，如图 2-10 所示。

评估内容传播效果 → DeepSeek 能够帮助运营者准确评估内容的传播效果及其吸引力。通过对文章、视频等内容的传播数据进行分析，它可以快速发现内容的优势与不足。

优化内容呈现方式 → DeepSeek 可以根据数据反馈调整内容策略，例如优化视频标题、标签、封面等元素，帮助运营者找到最适合目标受众的呈现方式，从而提升内容的曝光度和分享率。

图 2-10　内容效果评估与优化

（3）市场趋势分析与策略调整

DeepSeek 通过深度数据挖掘，能够实时监控市场动态，帮助运营者分析市

场趋势并进行策略调整，如图 2-11 所示。

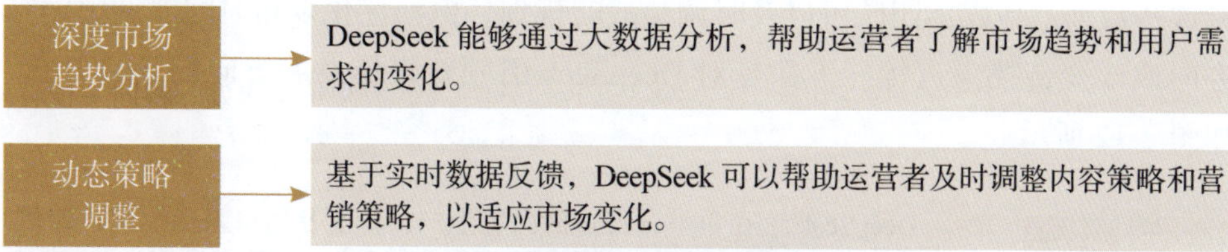

图 2-11　市场趋势分析与策略调整

此外，DeepSeek 还可以根据市场波动和消费者需求变化，优化营销方案和产品策略，从而帮助运营者在竞争激烈的市场中保持优势。

2.2.3　决策支持，提升新媒体战略规划

扫码看教学视频

在竞争激烈的数字化时代，新媒体战略规划的复杂性和动态性要求决策者能够快速、准确地获取和分析海量数据，从而制订出科学有效的战略。

DeepSeek 作为一种基于深度学习和数据分析的人工智能平台，能够为新媒体战略规划提供强大的决策支持，以下是其具体的应用方式。

（1）风险预测与决策优化

在新媒体运营中，风险预测同样重要。DeepSeek 可以通过对历史数据和实时数据的分析，识别潜在的风险因素，例如负面舆情的爆发、竞争对手的恶意攻击等。通过提前预警和提供优化建议，DeepSeek 能够帮助企业制订应对策略，降低风险对新媒体战略的影响。

（2）智能决策支持与自动化流程

DeepSeek 的核心优势之一是其自动化决策支持能力。它能够基于数据分析结果自动生成决策建议，例如内容发布时间的选择、广告投放的优化等。这种自动化流程不仅提高了决策效率，还减少了人为错误，使得新媒体战略规划更加科学和高效。

DeepSeek 通过其强大的数据分析、深度学习和自动化决策能力，为新媒体战略规划提供了全方位的支持。随着技术的不断进步，DeepSeek 将在新媒体领域发挥更大的作用，助力企业实现更高效、更精准的数字化转型。

2.2.4　洞察市场趋势，引领新媒体发展方向

扫码看教学视频

DeepSeek 能够实时分析市场动态，洞察市场趋势，包括竞争对

手的策略变化、行业热点趋势等，从而引领新媒体发展方向。通过快速处理和分析这些数据，新媒体团队可以及时调整战略规划，例如优化发布时间、调整内容方向或改变传播渠道等。下面是对 DeepSeek 引领新媒体发展方向的具体分析，如图 2-12 所示。

内容生产与分发 → DeepSeek 正在重塑各行业的内容生产、分发及用户互动模式，着重在新闻生产效率、内容分发、用户运营等方面，打造更智能、更高效、更个性化的生产传播体验。

提升用户体验 → DeepSeek 支持用户对内容进行二次创作并分享，激发用户的创造力，形成良好的内容创作生态。这种互动不仅增强了用户黏性和参与感，还能让用户从内容消费者转变为内容运营者和传播者。

推动行业智能化转型 → DeepSeek 的开源生态与社区支持优势显著，极大降低了开发门槛，吸引了大量的开发者参与技术优化和二次开发，加速了模型部署优化和模型在细分场景的适配。这使得新媒体行业能够以较低的成本完成数字化转型，提升竞争力。

创造新的商业模式 → DeepSeek 为新媒体带来了新的机遇。例如，基于其对用户数据的深度分析和对内容的理解，新媒体平台可以实现智能广告投放。广告商能够根据用户的兴趣精准推送广告，提高广告的点击率和转化率。

图 2-12　DeepSeek 引领新媒体发展方向的具体分析

2.2.5　适配不同平台需求，拓展新媒体运营渠道

扫码看教学视频

运营者可以利用 DeepSeek 适配不同平台的需求并拓展新媒体运营渠道，主要从以下几个方面入手。

（1）多平台内容生成

DeepSeek 可以根据不同平台的特点和受众需求，生成适合的内容。例如，为微博创作简短有力的热点话题文案，为微信公众号生成深度文章，为小红书生成种草笔记。此外，它还能根据平台风格调整语言风格，比如在抖音等短视频平台，生成更具活力和趣味性的文案。

（2）内容润色与优化

利用 DeepSeek 的文本润色功能，可以对已有的内容进行语法纠错、句式优化和风格转换，提升内容的专业性和吸引力。同时，它可以根据不同平台的用户喜好，调整内容的表达方式，使内容更具针对性。

（3）多语言支持

DeepSeek 支持多种语言的翻译功能，可以帮助运营者将内容翻译成不同语言，发布到国际社交平台上，拓宽受众范围。

（4）多平台通道接入

DeepSeek 可以帮助运营者选择合适的推广渠道，例如社交媒体、搜索引擎等，提高内容的曝光率和传播范围。同时，它支持一键接入 20+ 开发工具，如即梦 AI、可灵 AI 等，简化跨平台操作。

2.3 DeepSeek赋能自媒体，用户分析与内容策划

在自媒体领域中，运营者们常常面临一个难题：如何在海量信息中精准触达目标受众，并持续输出有吸引力的内容？DeepSeek 的出现，为这一难题带来了全新的解题思路。本节将介绍 DeepSeek 赋能自媒体运营的 5 种方法与案例。

2.3.1 用户画像分析，打造自媒体专属内容

扫码看教学视频

DeepSeek 能够通过分析用户数据（如行为、偏好、反馈等）生成精准的用户画像，帮助运营者深入理解目标受众的需求和特点。同时，基于用户画像和市场趋势，DeepSeek 可以生成个性化的内容创意、优化文案风格，助力打造自媒体专属的爆款内容，相关案例如下。

提示词

我是一名爱好旅拍的摄影师，现在打算运营一个自媒体账号来分享自己的旅拍经验。我选择小红书平台作为媒介，请帮我分析该平台的目标用户画像，打造一篇小红书专属内容。

DeepSeek

一、小红书平台目标用户画像分析

小红书的主要目标用户为年轻女性，占比接近80%，其中30岁以下的用户是平台的核心用户。这些用户大多分布在经济发达的沿海地区，如广东、江苏、浙江等。她们具有较高的消费能力和对生活品质的追求，热衷于分享和探索新鲜事物，喜欢通过平台获取美妆、时尚、旅行等方面的信息。

此外，小红书的用户群体还包括：学生群体（高中生和大学生），他们时间充裕，追求潮流，乐于分享生活；职场群体（白领和上班族），他们注重生活品质，喜欢美妆和海外购物，会参考KOL的笔记进行消费。这些用户不仅关注内容，还希望通过分享获得社

交认同和满足感。
……

2.3.2 用户情感分析，增强自媒体用户互动

扫码看教学视频

在当今自媒体蓬勃发展的时代，用户情感分析已成为提升内容吸引力与互动性的关键策略。通过对用户评论、点赞、分享等行为背后情感倾向的深度挖掘，运营者能够精准把握受众喜好，及时调整内容风格与方向，从而打造更具共鸣性的互动生态。

DeepSeek 凭借其先进的技术，为自媒体运营者提供了强大的情感分析工具，能够精准洞察用户的情感倾向。此外，DeepSeek 还能够根据不同用户的历史数据和行为模式，提供针对性的互动策略。这不仅有助于增强用户对内容的认同感，更能激发他们积极参与评论、分享，形成良好的互动氛围，推动自媒体账号实现可持续发展。

例如，运营者可以利用 DeepSeek 分析用户评论中的情感倾向，及时调整内容策略，或通过情感化的文案设计引导用户参与互动，相关案例如下。

提示词

根据公众号平台的特点，分析用户的情感指向，生成一篇感人肺腑的公众号文章，主题为“你心中最温暖的一件事”。请结合现实，引发用户情感共鸣，激发用户分享的欲望，从而达到互动的目的，字数500字左右。

DeepSeek

你心中最温暖的一件事：那个瞬间，让我觉得人间值得

深夜的城市，霓虹闪烁。加班到凌晨的我，拖着疲惫的身躯走进楼下的便利店。店员是个年轻女孩，她抬头看了我一眼，“今天也很辛苦吧？”她轻声说，然后递给我一杯热咖啡，“这是最后一杯了，送给你。”

那一刻，眼眶突然湿润。在这个陌生的城市里，一个陌生人的温暖，让我觉得所有的坚持都值得。

生活从来都不容易。我们都在为梦想打拼，为生活奔波，常常感到孤独和无助。但总有一些不期而遇的温暖，像黑暗中的一束光，照亮我们前行的路。

或许是生病时室友默默放在床头的粥，或许是下雨天陌生人递来的伞，或许是深夜回家时楼道里亮着的灯。这些微小的温暖，构成了人间最美的风景。

……

2.3.3　提供选题策划，激发自媒体创作灵感

扫码看教学视频

DeepSeek 能够快速分析海量数据，挖掘热门话题和用户痛点，为自媒体运营者提供选题策划并激发创作灵感。运营者可以通过输入关键词或主题，获取结合热点趋势和平台用户偏好的高潜力选题，相关案例如下。

提示词

我有一个分享穿搭的自媒体账号，请分析服装领域有什么超火的热点话题，如爆火的新中式、受欢迎的学院制服之类的。请帮我快速梳理一下，我要基于这些热点来策划一个穿搭风格的视频选题。

DeepSeek

以下是当下服装领域的几个热点话题，你可以根据这些热点策划穿搭风格的视频选题：

1. 新中式风格

特点：将现代设计元素与传统中式风格相结合，如盘扣、斜门襟、立领、马面裙等传统元素频繁出现。新中式风格不仅保留了东方的优雅韵味，还更加适合日常穿着。

受众：受到18～34岁各年龄层女性的青睐，且在社交平台上的热度持续上升。

搭配建议：可以尝试将新中式上衣与现代的牛仔裤或西装裤搭配，打造日常通勤或休闲的造型。

应用场景：拍照、旅游、通勤、约会等。

2. 学院制服

……

2.3.4　激发创作灵感，持续产出热门自媒体内容

扫码看教学视频

DeepSeek 可以通过生成爆款选题、优化文案、生成视频脚本等功能，帮助运营者快速找到低竞争高需求的内容方向，提升内容质量和吸引力。同时，DeepSeek 还能分析各平台热搜词，结合热点事件和用户偏好生成“旧瓶装新酒”式选题，激发运营者的创作灵感，增强选题的传播力。

此外，DeepSeek 还可以根据主题生成高点击率标题和互动性文案，持续产出热门自媒体内容，进一步提升内容的吸引力，相关案例如下。

提示词

分析现在抖音平台中最火的热点有什么，选择其中一个进行介绍，并仿照该热点生成一篇新的视频脚本文案。

DeepSeek

抖音平台常见热点分析
抖音平台的热点内容通常有以下几种类型：
1. 娱乐类热点：包括明星的最新动态、热门影视作品的片段或花絮、搞笑视频等。这类内容能够吸引大量用户的关注，因为它满足了人们对于娱乐和放松的需求。
2. 生活挑战类热点：例如各种舞蹈挑战、才艺展示挑战等。这类热点能够激发用户的参与热情，很多人会模仿并上传自己的版本，形成一种社交互动。
3. 知识科普类热点：涵盖科学知识、历史文化、生活小窍门等。这类内容满足了用户对知识的渴望，同时也具有一定的教育意义。
4. 社会热点类：与当下社会事件、新闻话题相关的视频。这类内容能够引发用户的思考和讨论，具有较高的关注度和传播性。
……

2.3.5 内容效果评估，优化自媒体运营策略

扫码看教学视频

DeepSeek通过深度分析内容的传播数据（如阅读量、分享量、评论量等）可以评估内容的吸引力和传播力。同时，DeepSeek还能分析目标受众的特征和喜好，帮助运营者精准定位，并根据数据反馈优化内容策略。此外，它还可以通过对比竞争对手的内容表现，为运营者提供改进方向和数据驱动的决策支持，相关案例如下。

提示词

我是一名小有名气的美妆博主，与一家卖面膜的品牌进行了合作。我在抖音发布了一条面膜的测评视频，并附上了产品的购买链接，两天的时间收获了56万的点赞、7000多条评论，其中40%的人表达了想要购买面膜的意愿，实际购买人数超150人。请对该自媒体账号进行内容评估，并提出一些优化建议，500字左右。

DeepSeek

美妆博主内容评估及优化建议
一、内容评估
1. 优势：
（1）影响力强：两天内获得56万点赞和7000多条评论，说明账号粉丝活跃度高，影响力较大。
（2）转化率可观：40%的评论表达购买意愿，最终150人下单，转化率在抖音平台属于中上水平，说明内容对粉丝有较强说服力。
（3）选品契合度高：面膜作为美妆博主的常规选品，与账号定位和粉丝需求契合，容易引发共鸣。

2. 不足：

（1）内容深度不足：测评视频可能侧重于产品使用感受，缺乏成分分析、适用肤质等专业内容，难以建立专业形象。

……

2.4 DeepSeek赋能账号精准定位，吸引精准用户

账号定位是指运营者要做一个什么类型的自媒体账号，然后通过这个账号获得什么样的粉丝群体，同时这个账号能为用户提供哪些价值。

自媒体账号定位的核心规则为：一个账号只专注于一个垂直细分领域，只定位一类用户人群、只分享一个类型的内容。本节将介绍自媒体账号定位的相关方法和技巧，帮助运营者做好账号的精准定位。

2.4.1 吸引精准用户，实现自媒体高效引流

扫码看教学视频

吸引精准用户的核心在于明确账号的定位和目标人群，运营者需要根据市场需求和用户痛点，选择一个细分领域，并围绕这一领域展开内容创作。同时，精准的用户定位离不开数据分析，通过对目标群体的兴趣、行为、习惯进行细致分析，运营者应为账号打上明确标签，进而吸引那些真正需要的用户。通过清晰的定位和持续的内容输出，账号能够实现用户的精准吸引和高效转化。

下面将介绍定位的关键问题、账号定位的缘由以及给账号打上标签等 5 个方面的内容。

（1）定位的关键问题

定位理论（Positioning）创始人杰克·特劳特（Jack Trout）曾说过：“所谓定位，就是令你的企业和产品与众不同，形成核心竞争力；对受众而言，即鲜明地建立品牌。”

以抖音为例，该平台上不仅有数亿的用户量，而且每天更新的视频数量也在百万以上，那么如何让发布的内容被大家看到并喜欢呢？关键在于做好账号定位。账号定位决定了账号的涨粉速度和变现难易度，同时也决定了账号的内容布局和引流效果。

下面具体介绍自媒体账号定位的关键问题，如图 2-13 所示。

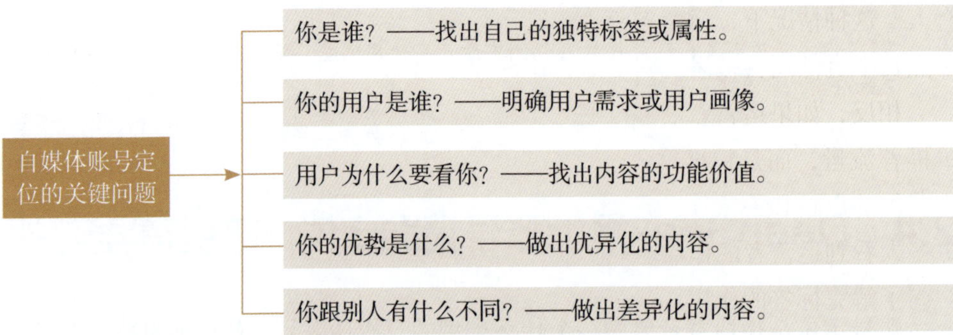

图 2-13　自媒体账号定位的关键问题

（2）账号定位的重要性

在自媒体时代，信息爆炸是常态，用户每天都会接触到海量的内容。在这种环境下，账号需要具备独特的定位，才能在竞争激烈的市场中脱颖而出。精准的账号定位能够带来以下好处，如图 2-14 所示。

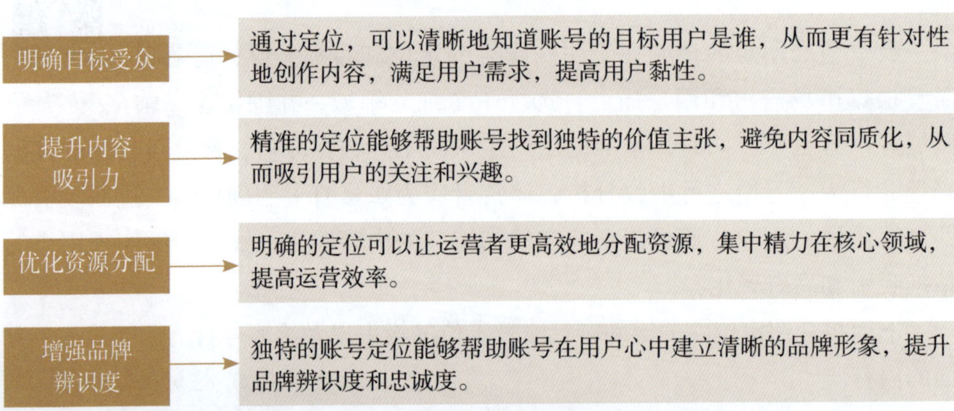

图 2-14　精准账号定位的好处

（3）给账号打上标签

标签指的是新媒体平台给运营者的账号进行分类的指标依据，平台会根据运营者发布的内容，来给其账号打上对应的标签，然后将运营者的内容推荐给对这类标签作品感兴趣的人群。这种个性化的流量机制不仅提升了运营者的创作积极性，而且也提升了用户的观看体验。

例如，某个平台上有 100 个人，其中有 50 个人对旅行感兴趣，而其余 50 个人则不喜欢旅行类的内容。

此时，如果运营者是做旅行类内容的账号，但却没有做好账号定位，平台没有给自己的账号打上“旅行”这个标签，系统便会随机将内容推荐给平台上的所有人。这种情况下，运营者的内容被用户点赞和关注的概率就只有50%，而且由于点赞率过低还会被系统认为内容不够优质，而不再给你推荐流量。

相反，如果运营者的账号被平台打上了“旅行”的标签，那么系统将不再随机推荐流量，而是精准推荐给喜欢看旅行类内容的那50个人。这样，账号的内容获得的点赞和关注数据就会非常高，从而会获得系统给予更多的推荐流量，让更多人看到运营者的作品，并喜欢上其中的内容，甚至关注运营者的账号。

了解完标签的作用，接下来将深入探讨其与账号定位之间的紧密联系。只有做好自媒体账号的定位，运营者才能在用户心中形成某种特定的印象。下面介绍使用DeepSeek实现账号定位的相关技巧，如图2-15所示。

细分垂直领域	深挖各行业的垂直细分领域，打造垂直度高的内容。
注重内容质量	提高内容的质量，给“重度用户”带来更好的体验。
不要盲目模仿	不盲目跟风，要结合自己的定位特点。
人群画像分析	找出目标人群，将创作的内容与人群画像相结合。
做个性化的内容	细分创作内容的主题，打造有差异的个性化内容。
统一账号风格	确定好独特的风格，并坚持使用统一的表达方式。

图2-15　账号定位的相关技巧

☆ 专家提醒

以抖音平台为例，根据某些专业人士分析得出的一个结论表明，当某个短视频作品连续获得系统的8次推荐后，该作品就会获得一个新的标签，从而得到更加长久的流量扶持。

（4）账号定位的流程

很多人做自媒体账号运营其实都是跟风，看着大家都去做也跟着去做，根本没有考虑过自己做这个账号的目的，到底是为了涨粉还是变现。以涨粉为例，蹭热点是非常快的涨粉方式，但这样的账号变现能力就会降低。

因此，运营者需要先想清楚自己做自媒体的目的是什么，如引流涨粉、推广品牌、打造IP（Intellectual Property，知识产权）、带货变现等。当运营者明确了账号定位的目的后，即可开始做账号定位，基本流程如下。

1）分析行业数据：在进入某个行业之前，先找出这个行业中的头部账号，看看他们是如何做账号的；还可以通过专业的行业数据分析工具，如蝉妈妈、新榜等，找出行业的最新玩法、热点内容、热门商品和创作方向。

2）分析自身属性：对于平台上的头部账号来说，其点赞量和粉丝量都非常高，他们通常拥有良好的形象、才艺和技能，普通人很难模仿，因此运营者需要从自己已有的条件和能力出发，找出自己擅长的领域，保证内容的质量和更新频率。

3）分析同类账号：深入分析同类账号的题材、标题、评论、拍摄和剪辑方法等，学习他们的优点，并找出不足之处或能够进行差异化创作的地方，以此来超越同类账号。

（5）账号定位的方法

自媒体的账号定位就是为账号运营确定一个方向，为内容创作指明方向。那么，运营者到底该如何进行账号定位呢？

运营者可以从以下 3 个方面出发，如根据自身的专长做定位、根据用户的需求做定位、根据内容稀缺度做定位，如图 2-16 所示。

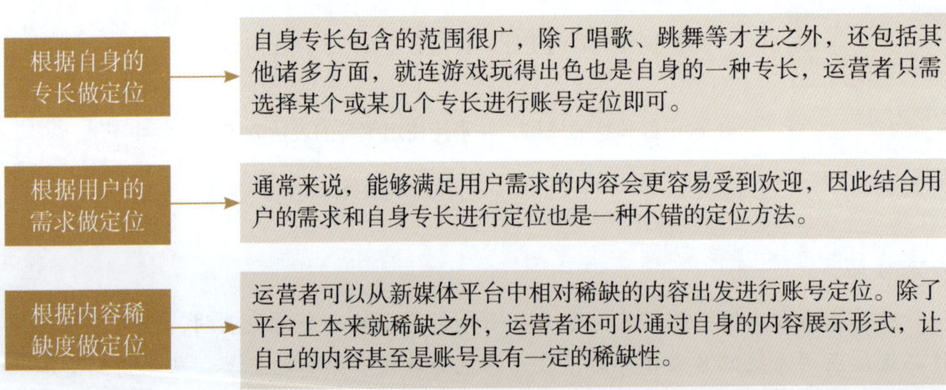

图 2-16　账号定位的相关技巧

2.4.2　提供内容方向，规划自媒体持续发展

扫码看教学视频

提供明确的内容方向是账号定位的核心之一。运营者需要基于自身的专长与用户需求，确定内容的类型和主题，从而精准吸引用户。同时，运营者需要制订符合用户期望的内容策略，确保账号的持续吸引力和影响力，并通过分析用户数据，理解他们的兴趣与痛点。下面将介绍自身专长、用户需求和内容类型等 5 个方面的内容。

（1）自身专长

对于自身具有专长的人群来说，根据自身专长做定位是一种最为直接和有效的定位方法。运营者只需对自己进行分析，然后选择某个专长进行账号定位即可。

为什么要选取相关特长作为自己的定位？因为如果今天分享视频营销，明天分享社群营销，那么关注视频营销的人可能会取消关注，因为你分享的社群营销内容用户不喜欢，反之亦然，在这两种情况下，账号“掉粉率”会比较高。运营者要记住，账号定位越精准、越垂直，用户越精准，变现越轻松，获得的精准流量就越多。

例如，龙飞摄影的运营者是一位擅长摄影的摄影师兼作家，他将自己的账号定位为摄影作品分享类账号。他通过该账号重点分享自己的原创摄影作品和摄影技巧，如图 2-17 所示。

图 2-17　摄影类抖音短视频

由此不难看出，只要运营者或其团队成员拥有专长，且发布的相关内容又比较受欢迎，那么将该专长作为账号的定位，便是一种不错的定位方法。

在抖音号的运营中，如果能够明确用户群体，做好用户定位，并针对主要的用户群体进行营销，那么抖音号生产的内容将更具有针对性，从而对主要用户群体产生更强的吸引力。

（2）用户需求

通常来说，用户需求大的内容会更容易受到欢迎。因此，结合用户的需求和自身专长进行定位也是一种不错的定位方法。

很多用户都有拍照的习惯，但又觉得自己的拍照水平还不太高。因此，这些用户通常都会对摄影类的内容比较关注。在这种情况下，运营者如果对摄影内容比较擅长，那么，将账号定位为摄影号就比较合适了。

例如，一位入驻西瓜视频等平台的摄影博主发现许多用户对摄影类内容比较感兴趣。因此，他入驻平台之后，便将账号定位为摄影类账号，并持续为用户分享摄影内容。图 2-18 为该运营者发布的摄影相关的短视频。

图 2-18　摄影相关的短视频

（3）内容类型

自媒体的内容定位就是确定账号的内容方向，并据此进行内容的生产。例如，运营者在做内容定位时，只需结合账号定位确定需要发布的内容即可。

例如，某公众号的定位是专注于旅游攻略分享，因此该账号推送的内容主要是各地的旅游攻略文章。

运营者确定了账号的内容方向之后，便可以根据该方向进行内容的生产了。当然，在运营的过程中，内容生产也是有技巧的。具体来说，运营者在生产内容时，可以运用以下技巧，轻松打造持续性的优质内容，如图 2-19 所示。

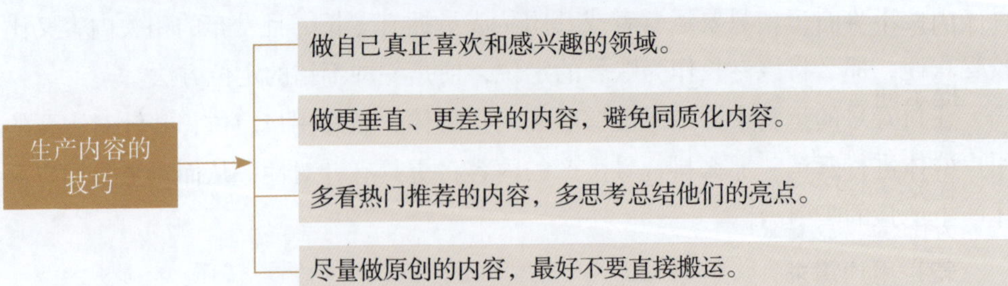

图 2-19　生产内容的技巧

（4）品牌特色

许多企业和品牌在长期的发展过程中可能已经形成了自身的特色，如果根据这些特色进行定位，通常会比较容易获得用户的认同。

根据品牌特色做定位又可以细分为两种方法：一是以能够代表企业的卡通形象做账号定位，二是以企业或品牌的业务范围做账号定位。

某零食品牌就是以代表企业的卡通形象做账号定位的。在多个新媒体平台上，该品牌的账号会经常分享一些视频，将松鼠的卡通形象作为主角打造内容。

熟悉该零食品牌的人群，都知道这个品牌的卡通形象和标识是短视频中的松鼠。因此，该品牌账号的短视频便具有了自身的品牌特色，而且通过卡通形象进行表达，还更容易被人记住。

（5）用户数据

在做用户定位时，运营者可以从性别、年龄、地域分布和收入等多个方面分析目标用户，了解平台的用户画像和人气特征，并在此基础上更好地做出针对性的运营策略调整和精准营销。

在了解用户画像情况时，运营者可以适当借助一些分析软件，例如新榜、飞瓜数据、蝉妈妈和抖音官方数据分析工具等。这些软件都能够为运营者提供详尽且实时的数据支持，助力其深入洞察用户行为，优化运营决策，实现高效增长。

2.4.3　DeepSeek 赋能，助力自媒体账号定位

扫码看教学视频

新媒体平台作为信息传播与文化交流的重要阵地，每天面临着海量信息的冲击，众多自媒体账号在此浪潮中，往往面临着定位模糊、特色缺失的困境，难以在竞争激烈的市场中脱颖而出。而 DeepSeek 凭借其强大的分析能力，为自媒体账号的精准定位提供了全新的思路与解决方案。

例如，运营者可以告诉 DeepSeek 自己的身份、爱好、经历等，以及选择发布内容的新媒体平台，让它从账号的内容形式、用户需求等角度出发，提供一个具体的定位方向，相关案例如下。

提示词

我是一名旅行爱好者，经常去国内外各地旅行，想在微博开设一个旅行类自媒体账号。
任务：请根据我的兴趣和旅行经历，以及账号内容形式、用户需求、用户数据等方面，为我的微博旅行账号提供一个具体的定位方向，包括人设标签、内容方向和目标受众。
要求：定位要结合微博的传播特点，注重内容的互动性和话题性，能够吸引更多的旅行爱好者关注。

DeepSeek

一、账号核心定位

1. 受众精准细分

目标人群：以20～35岁的年轻旅行爱好者为核心受众，进一步细分为以下3类。

经济型背包客：关注性价比、小众路线、实用攻略；

文化探索者：对历史、民俗、在地文化有深度兴趣；

视觉打卡族：追求高颜值景点、摄影技巧、网红地标。

用户需求：提供“实用攻略＋情感共鸣＋视觉冲击”的内容组合，解决用户“去哪玩、怎么玩、如何拍”的核心痛点。

2. 账号人设打造

身份标签：如“90后环球冒险家”“文化旅居达人”“摄影发烧友”等，突出个人特色；

性格标签：建议选择“幽默风趣＋真实接地气”的风格，增强亲和力；

价值主张：例如“用脚步丈量世界，用镜头记录文化”“让每一次旅行都有故事”等，强化记忆点。

……

2.5 DeepSeek赋能账号形象包装，塑造专业品牌

在自媒体时代，个人 IP 的打造对于提升个人影响力和品牌价值至关重要。而打造个人 IP 意味着要创造并维护一个独特、有辨识度的个人品牌形象。

在自媒体运营中，账号形象的包装不仅是外在展示的艺术，更是吸引和留住用户的核心要素。本节将聚焦于自媒体账号的形象塑造技巧，介绍打造高端个人 IP 品牌的相关技巧，帮助运营者通过形象包装为账号增值，赢得用户的好感。

2.5.1 明确身份与业务，塑造自媒体专业品牌

扫码看教学视频

在新媒体平台中，拥有一个得体又很有特色的账号名称是非常重要的，对普通人来说可能这个名称无关紧要，只要自己高兴便好，但对于运营者来说，则需要仔细斟酌，再三考虑。因为每个运营者都有着自己不同的目标，要给用户呈现出独特的理念才行，因此账号名称一定要有很高的辨识度，要打造出一个“网红”名字，把运营者变成“网红”。

账号名称的总体要求是，告诉大家你是谁，以及你是做什么的。同时，账号名称还要考虑两点：易记、易传播。把握好要点才能起个满意的名称，如图 2-20 所示。

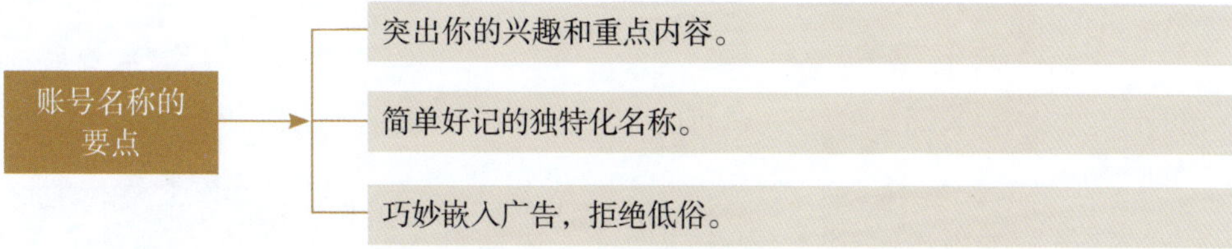

图 2-20　账号名称的要点

在起名的时候还要避免下面这些误区。

①没有汉字，全是符号。

②使用繁体字和负能量字眼。

③名字前面加很多 A。

④名字太长没有重点。

说了这么多的要点，其实就是建议起个简单好记的账号名称，如大部分运营者的账号名称就是自己的名字，这样做主要有以下两点好处。

①增加信任度：让用户有一种亲近的感觉。

②方便用户记忆：让人难以忘记。

2.5.2　选择合适的头像，提升自媒体视觉吸引力

扫码看教学视频

除了账号名称以外，自媒体账号的个人头像应该是最惹人注意的了。在我们的微信好友列表中可以看到，朋友们的头像通常是多种多样的，而不同的头像有着不同的心理活动。在表示不同心理活动的头像设置环境下，拥有一个别出心裁的头像，能够得到用户的好感和信任感，下面介绍 6 个不同类型的头像及其作用。

①用生活照作头像：对自己的接纳度较高。

②用证件照作头像：中规中矩。

③用艺术照作头像：有较强的自我中心倾向。

④用童年照作头像：较感性，觉得过去美好。

⑤用家人照片作头像：有很强的依赖性。

⑥用卡通图片作头像：思维较开阔。

个人头像设置也是有技巧的，要根据自己的定位来进行设置，主要从以下 4 个方面着手，如图 2-21 所示。

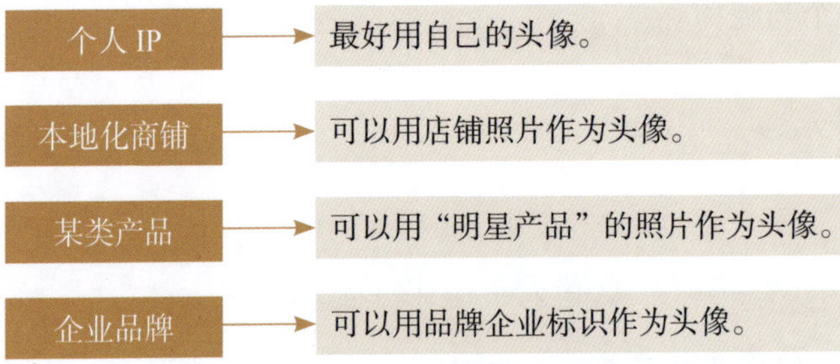

图 2-21　自媒体头像设置的技巧

大部分运营者通常选择使用自己的照片来作为头像，这样做更加具有真实性，会增强用户的信任感。因为自媒体账号的核心是人与人的关系，要建立起相互之间的信任，用自己的照片就是再合适不过的了。此外，这样的做法还能让运营者的个人形象与账号品牌更加紧密地结合在一起，有助于塑造独特的品牌形象。

2.5.3　展示个性签名，传达自媒体核心价值

扫码看教学视频

所谓“个性签名”，即用能充分表现自己的话语（签名）来对账号进行标注，是在新媒体平台上展现运营者信息的重要内容，如图 2-22 所示。

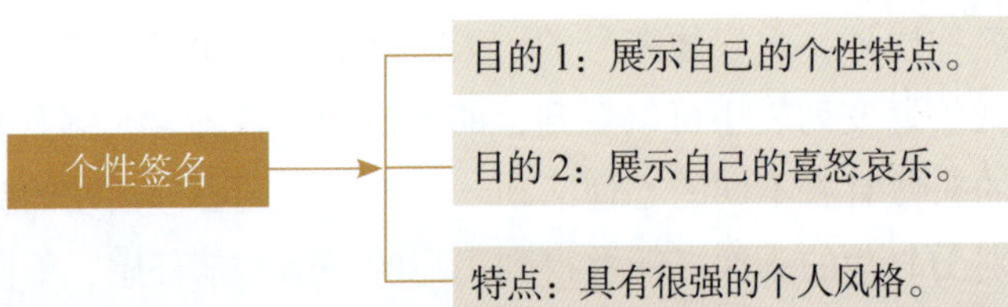

图 2-22　个性签名的目的和特点

个性签名会给用户留下第一印象，所以运营者要特别注意自己的个性签名。例如，在微信中，个性签名会显示在个人信息里面，当有人添加你为好友的时候，会查看你的个人信息，这时候个性签名就是一个“加分项”。

个性签名的内容就好比现实生活中的名片文字介绍，在很大程度上决定了你能够获得的粉丝数量。只有那些自然、大气的文字介绍，才会吸引别人的注意，引起别人和你继续沟通的兴趣。

2.5.4　展示背景墙封面，强化自媒体品牌形象

扫码看教学视频

微信朋友圈、微博、抖音、快手等新媒体平台都需要设置背景墙

封面，这是一个与昵称和头像不一样的个性设置场所，其特点如图 2-23 所示。

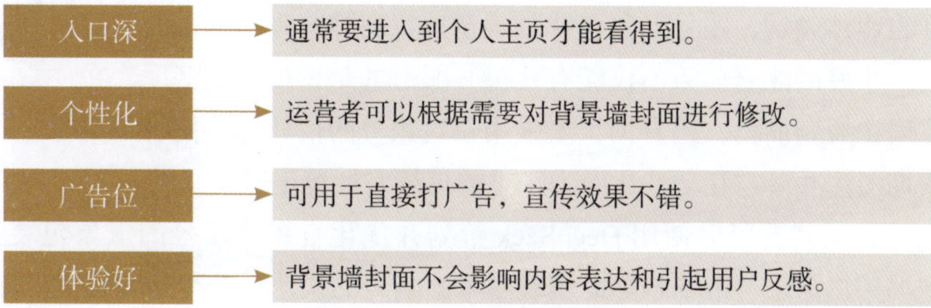

图 2-23　背景墙封面的特点分析

从位置展示的出场顺序来讲，头像是运营者的第一广告位，但如果从效果展示的充分度而言，背景墙封面的广告位价值更大。大在哪？大在尺寸。背景墙封面可以放大图和更多的文字内容，更全面充分地展示运营者的个性、特色、产品等信息，实现一个既吸引人眼球又信息丰富的完美布局。

例如，微信朋友圈中的背景墙封面，其实就是头像上面的背景封面。这张背景墙封面的像素为 480×300，因此大家可以通过“图片＋文字”的方式，尽可能地将自己的产品、业务、特色、成就等内容在此处充分展示出来。

2.5.5　建立视觉标识，增强自媒体识别度

扫码看教学视频

无论在哪个时代，一个具有远大理想、勇于拼搏、敢于奋斗的人会更容易引起人们的关注和鼓励。因此，运营者在新媒体平台上一定要形成自己的独特标签，除了头像、名称和背景等账号设置外，运营者还可以养成自己的“招牌动作”，来加深用户对你的记忆。

例如，某位明星以其性感的形象、飞扬的裙摆和标志性的“飞吻”动作而闻名于世。这些特征不仅成了她的个人标识，还成了流行文化和性感女神的代名词。

运营者一旦设计了自己的招牌动作，就需要在每次有曝光机会的时候都使用这个招牌动作。因为招牌动作如果只出现一次，是不会被用户记住的，想要让自己的招牌动作深入人心，就必须增加它的曝光次数。

当运营者的招牌动作出现次数比较多的时候，会很容易在用户脑海中起到“视觉锤”的作用，以后用户只要看到这个动作，就会联想到你。不过运营者要注意，招牌动作尽量设计得简单有特点比较好，太复杂的动作拍照合影也会很麻烦。

2.5.6 DeepSeek 赋能，策划自媒体账号包装

扫码看教学视频

在自媒体领域，账号形象包装是塑造独特品牌与吸引受众的关键环节。一个好的账号形象不仅能有效提升账号的辨识度与记忆度，在海量账号中脱颖而出，还有助于增强用户对账号的信任感，使用户更愿意长期关注并参与互动，从而为账号的持续发展奠定坚实基础。

例如，运营者可以使用 DeepSeek 策划并优化自媒体账号的形象包装方案，精准把握用户需求与市场趋势，实现账号影响力的快速提升与品牌价值的深度挖掘，相关案例如下。

提示词

我有一个专注于分享手工制作饰品的抖音账号，请为这个账户策划形象包装方案，包括我的身份与业务定位、头像视觉要素、个性签名、背景墙封面图、视觉标识等，从品牌定位到视觉细节全覆盖。

DeepSeek

一、身份与业务定位

1. 账号名称：建议选择简洁明了、容易记忆且与手工饰品相关的名字，如“手工饰梦坊”“匠心手作饰”等，让用户一眼就能明白账号的业务方向。

2. 业务介绍：专注于各类独特饰品的手工制作，包括但不限于项链、手链、耳环、发饰等，每一件饰品都蕴含着创作者的匠心与情感，旨在为追求个性与品质的用户提供独一无二的饰品选择。

二、头像视觉要素

1. 头像选择：可以是创作者的高清半身照，展现亲切感与真实感，也可以是具有代表性的手工饰品实物图，突出业务特点。如果希望更具辨识度，还可以设计一个与手工饰品相关的卡通形象作为头像，比如一个正在制作饰品的小精灵。

2. 风格要求：头像的整体风格应与账号定位相符，色彩搭配和谐，避免过于复杂或模糊，确保在抖音的各个展示场景中都能清晰辨认。

三、个性签名

……

2.6 本章小结

本章首先介绍了新媒体与自媒体的基本概念，包括新媒体和自媒体的定义以及二者的异同点；然后分别阐述了 DeepSeek 如何赋能新媒体和自媒体运营，从账号分析、数据分析、用户分析等多个方面提供了全方位的支持；最后介绍了

DeepSeek 如何赋能账号形象包装，帮助新媒体和自媒体账号塑造专业品牌形象。

2.7 课后实训

扫码看教学视频

鉴于本章知识的重要性，为了帮助读者更好地掌握所学知识，本节将通过课后实训，帮助读者进行简单的知识回顾和补充。

实训任务：用 DeepSeek 分析微博平台的用户画像，并打造一篇专属的微博娱乐文案，相关案例如下。

提示词

分析微博平台的用户画像，并打造一篇专属的微博娱乐文案，主题为“×××的新歌演唱会”，文案不超过300字。

DeepSeek

微博用户画像分析

微博用户群体庞大且多样，具有以下特点：

年龄分布广泛：以20～30岁的年轻人为主，占比约69%，同时涵盖中年和老年用户。

地域分布集中：主要集中在一二线城市。

学历与收入较高：约55%的用户持有学士及以上学位，整体消费能力较强。

兴趣爱好多元：对娱乐、新闻、时事、科技等领域关注度高，尤其热衷于明星动态和热点话题。

活跃时段集中：中午12点和晚上10点是用户互动高峰期。

……

第 3 章
AI 提示词咋写？技巧全掌握，创作 so easy

提示词也称为关键词、指令或“咒语”，运营者在使用 AI 模型生成文案时，提示词的编写至关重要，因为它直接影响着 AI 模型的创作结果。明确、具体的提示词能帮助 AI 更准确地理解用户意图，从而提高回复的准确性，使 AI 生成的内容更符合用户的期望。本章将介绍 AI 提示词编写的基础技巧和高级技巧，帮助大家创作高质量的 AI 内容，让文案创作更加高效和便捷。

3.1 AI提示词基础技巧，精准编写第一步

学习 AI 提示词编写技巧不仅能够帮助运营者更高效地利用 AI 工具生成高质量的内容，还能激发新的创意思维，提高内容的独特性和吸引力。通过掌握正确的提示词编写技巧，运营者可以更好地引导 AI 理解其需求，减少无效或重复的工作，同时确保产出的内容更加贴合目标受众的需求和偏好。

本节以 DeepSeek 为例，主要介绍 AI 提示词编写的基础技巧与高级技巧，从而让 AI 生成的文案更符合需求。

3.1.1 明确主要目标，精准编写 AI 提示词

扫码看教学视频

运营者在输入提示词之前，首先要明确提示词的主要目标与意图，即想要得到什么样的结果。例如，想要让 DeepSeek 生成一篇关于某个主题的文章，就要明确文章的主题、字数、写作风格等，相关案例如下。

提示词

以“自媒体行业盈利的主要途径”为主题，写一篇科普文章，注重实用性，要求：不超过500字，写作风格为幽默又通俗易懂。

DeepSeek

《自媒体赚钱指南：从“为爱发电”到“躺着数钱”》

朋友们，还在为爱发电吗？还在用爱支撑你的自媒体梦想吗？是时候了解一下自媒体行业的“财富密码”了！今天，就带你解锁自媒体盈利的几大途径，让你从“为爱发电”升级到“躺着数钱”！

1. 广告变现：躺着赚钱不是梦！

这是最直接、最常见的赚钱方式。当你的账号拥有一定粉丝基础后，就可以接广告啦！软文、硬广、视频植入，形式多样，任君选择。想象一下，你躺在沙发上刷着手机，突然一条广告费到账，是不是美滋滋？不过，切记要爱惜羽毛，接广告也要对粉丝负责哦！

2. 知识付费：把你的知识变成钱！

如果你在某个领域有独到见解或专业技能，那就大胆地开启知识付费栏目吧！开设付费课程、撰写电子书、进行线上咨询，把你的知识变成真金白银。记住，内容为王，只有干货满满，才能吸引粉丝心甘情愿地掏腰包！

3. 电商带货：边分享边赚钱！

……

3.1.2 精心构思提示词，提升 AI 创作效果

扫码看教学视频

在构思提示词的内容时，运营者要追求质量而非数量，尽可能提供详细、准确、具有启发性的信息，以激发 DeepSeek 的创造力。同时，还要避免提供过多的限制性信息，给 DeepSeek 留下一定的自由发挥空间，相关案例如下。

提示词

主题：使用智能医疗设备有什么帮助？
结构：引言，智能医疗设备给人们的生活带来哪些帮助，结论。

DeepSeek

《智能医疗设备：你的私人健康管家，24小时在线！》

还记得以前生病，总要排队挂号、挤医院的日子吗？智能医疗设备的出现，简直就像给你请了个私人管家，24小时在线，随时随地守护你的健康！

智能医疗设备，到底有多“智能”？

1. 慢性病管理小能手：血糖仪、血压计、心率监测仪……这些设备可以实时监测你的身体状况，并将数据同步到手机APP，让你随时掌握自己的健康动态。再也不用担心忘记吃药、错过复诊，智能提醒功能帮你安排得明明白白！

2. 居家健康监测好帮手：智能手环、睡眠监测仪等设备，可以记录你的运动数据、睡眠质量，甚至还能监测血氧、心率等指标。智能医疗设备让你足不出户，就能了解自己的身体状况，及时发现潜在的健康风险。

……

3.1.3 使用自然语言，让 AI 更懂你的需求

扫码看教学视频

自然语言是指人类日常使用的语言，包括口语和书面语。与计算机语言不同，自然语言是人类用来表述问题或需求的方式，几乎所有人都能轻松理解；而计算机语言则是人们为了与计算机进行交互而设计的特定语言，一般人是无法理解的。

在与 DeepSeek 对话的过程中，运营者要尽量使用自然语言来写提示词，避免使用过于复杂或专业的语言，这样可以让 DeepSeek 更好地理解运营者的需求，并生成自然、流畅的回答，相关案例如下。

提示词

请帮我写一篇关于手机拍摄技巧的文章，300字左右。

DeepSeek

《手机摄影：捕捉生活瞬间的艺术》

在这个人人都是摄影师的时代，手机摄影已经成为记录生活的重要方式。只要掌握简单的拍摄技巧，就能让普通照片焕发艺术魅力。

构图是摄影的灵魂。运用三分法构图，将画面横竖各分为三等份，把主体物放在交叉点上，能让照片更具美感。拍摄时注意寻找引导线，如道路、栏杆等，可以引导观者视线，增强画面纵深感。

光线的运用直接影响照片质感。顺光拍摄色彩鲜艳，逆光拍摄能营造氛围感，侧光则能突出物体质感。黄金时段（日出后和日落前一小时）的柔和光线，能让照片充满温暖质感。

后期处理是提升照片效果的关键。适度调整亮度、对比度，能让画面更通透。使用滤镜时要注意适度，过度处理反而会破坏照片的自然美感。

……

3.1.4　通过示例引导，激发 AI 创作灵感

扫码看教学视频

运营者在提示词中可以给 DeepSeek 提供一些示例和引导，从而帮助 DeepSeek 更好地理解需求。例如，运营者可以提供一些相关的话题、关键词或短语，或者描述一个场景、故事，以便 DeepSeek 能够准确捕捉意图并生成符合要求的内容，相关案例如下。

提示词

请将以下简短情节扩展为一篇600字以内的玄幻修仙小说，要求情节紧凑、修仙元素丰富、角色鲜明，并在结尾处设置一个意想不到的转折。

情节：安清，一位生活在偏远山村的少女，自幼便能与植物交流。一天，她上山采药时遇到了一个身穿白色道袍的仙人，仙人看出了她的特异天赋，打算收她为徒。

DeepSeek

《灵植仙缘》

安清蹲在溪边，纤细的手指轻轻抚过一株含苞待放的幽兰。她能感受到幽兰传来的喜悦，那是一种细微的、如同晨露滴落般的情绪波动。自从记事起，她就能听懂植物的语言，山间的每一株草木都是她的朋友。

“小幽兰，你今天真漂亮。”安清轻声说道，指尖泛起淡淡的绿光。在她的安抚下，幽兰舒展叶片，绽放出晶莹剔透的花朵。

突然，一阵清风拂过，安清警觉地抬起头。一位身着白色道袍的老者不知何时出现在她面前，银发飘飘，仙风道骨。他的目光落在安清指尖尚未散去的绿光上，眼中闪过一丝惊喜。

“小姑娘，你可愿随我修行？”老者的声音温和却不容置疑，“你身怀木灵根，是天生

的灵植师。”
……

3.1.5　提供问题引导，掌控 AI 创作方向

扫码看教学视频

运营者可以采用问题的形式，提出希望 DeepSeek 回答或讨论的内容，如“什么是新媒体运营及其应用领域”。注意，问题要明确具体，不要太宽泛，避免像“告诉我关于新媒体运营的全部内容”这样过于开放的问题。另外，运营者还可以使用“如何”“为什么”“什么”等提问词来构建提示词，相关案例如下。

提示词

为什么短视频会爆火？分析原因，不超过500字。

DeepSeek

短视频的爆火主要源于以下几个原因。

1. 碎片化时间利用：现代生活节奏快，短视频时长通常在几秒到几分钟之间，适合在短暂的空闲时间观看，如等车、排队等，充分利用了碎片化时间。

2. 内容多样且易消费：短视频平台提供丰富的内容，涵盖娱乐、教育、生活等多个领域，运营者能快速找到感兴趣的内容。简短的形式降低了观看门槛，无需长时间投入。

3. 算法推荐精准：平台通过算法分析运营者喜好，推送个性化内容，提升运营者黏性，让运营者更容易沉浸其中。

4. 创作门槛低：短视频制作简单，普通人也能参与创作，激发了大量运营者的创作热情，进一步丰富了平台内容。

……

3.1.6　提供细节信息，完善 AI 创作内容

扫码看教学视频

运营者在提示词中提供具体、详细的细节和信息，可以帮助 DeepSeek 更好地理解需求，从而生成更准确、具体的回复，相关案例如下。

提示词

春季大促时，我的小红书账号收到了一款名为“初日粉桃”的香水的品牌合作邀请，请你依据以下信息为我构思一篇吸引人的推荐笔记。

【气味】融合了桃花与樱花的花香。

【关键词】春日暖阳、热情、少女活力。

【品牌方要求】以故事化的软文形式推荐，目标受众为活力满满的少女，精准捕捉需

求，激发粉丝内心深处的情感共鸣。

DeepSeek

【初日粉桃】喷上它，仿佛春日暖阳洒满全身！
1. 正文：
最近收到了一款让我心动到尖叫的香水——初日粉桃。
说实话，一开始只是被名字吸引，但闻到它的那一刻，我整个人都被治愈了！
前调是清新的桃花香，仿佛走在春天的樱花树下，微风轻拂，花瓣轻轻落在肩头，整个人都被温柔包围。
中调是甜美的樱花香，像是少女在阳光下奔跑，笑容灿烂，活力满满，连空气都变得甜滋滋的。
尾调是淡淡的花香余韵，像是春日午后的小憩，温暖又慵懒，让人忍不住想多闻几下！
……

3.1.7 确定格式要求，规范AI内容输出

扫码看教学视频

运营者可以指定DeepSeek输出的格式，可以要求以列表形式回复或限定字数等，以便得到更符合需求的回复，相关案例如下。

提示词

请帮我写5条有吸引力的商品标题文案。
商品为【雨伞】，格式要求：【××××】——×××××××××！

DeepSeek

以下是符合您的格式要求的5条雨伞商品标题文案。
1. 【一键开合】——超轻便携，一按即开，雨天出行轻松无忧！
突出雨伞的便捷操作和轻便特性，适合快节奏生活人群。
2. 【复古油纸】——手工匠心，古韵悠长，撑出诗意江南！
强调雨伞的复古风格和手工制作，吸引文艺爱好者。
3. 【防晒防雨】——双层遮阳，防晒值50+，一伞多用，四季皆宜！
突出雨伞的防晒功能和多用途，适合追求性价比的消费者。
4. 【亲子萌趣】——卡通造型，萌趣可爱，陪伴孩子快乐成长！
……

3.1.8 提供上下文信息，保持AI创作连贯性

扫码看教学视频

运营者可以在提示词中提供足够的上下文信息，以便DeepSeek能够理解意图并生成准确的内容，相关案例如下。

提示词

请帮我构思一篇种草文案，需要涵盖以下要点。
标题：保湿面霜——肌肤的“沙漠绿洲”！
开头：今天，我要给大家种草一款超级神奇的保湿面霜。
高潮：第二天醒来，肌肤变得更加光滑细腻，仿佛焕然一新！
要求：语音风趣幽默，情感表达自然，字数控制在600字左右。

DeepSeek

保湿面霜——肌肤的“沙漠绿洲”！
宝子们，今天我可得好好给大家种草一款超级神奇的保湿面霜，这可不是普通的面霜，简直是给肌肤送上的“沙漠绿洲”，用了它，你的脸蛋就像在沙漠里找到了水源，瞬间被滋润得不得了！
我之前一直被干燥的肌肤困扰，脸蛋干得像沙漠里的仙人掌，紧绷绷的，还起皮。每次照镜子，看着自己那干巴巴的脸，心里那个急啊，简直比热锅上的蚂蚁还难受。直到我遇到了这款保湿面霜，我的护肤之路才算是迎来了曙光。
这款面霜的质地超级棒，轻轻一抹，就能瞬间化开，就像给肌肤披上了一层透明的水润外衣。每次使用的时候，我都感觉它在给我的肌肤做SPA，把满满的水分传递给我的脸蛋。而且，它的香味也很特别，淡淡的，清新自然，闻起来就像置身于花园之中，让人心情都变得愉悦起来。
……

3.1.9 运用肯定语言，优化 AI 创作质量

扫码看教学视频

在提示词中运用肯定的语言，可以最大限度地激发 DeepSeek 的正面回应，提高提示词的有效性，从而让 DeepSeek 生成更符合要求的结果，相关案例如下。

提示词

你非常擅长健身，十分了解人体机能与运动器械。我是一名程序员，常年久坐。请根据锻炼身体的目标为我制订一个健身计划。

DeepSeek

作为一名程序员，长时间久坐容易导致身体僵硬、肌肉力量下降、新陈代谢减缓等问题。以下是一个适合你的健身计划，主要目标是改善身体姿态、增强核心力量、提高心肺功能和整体身体素质。考虑到你可能没有太多时间，这个计划以高效、简单为主，可以在工作之余轻松完成。
一、目标设定
1. 改善身体姿态：缓解久坐带来的肩颈僵硬、腰背疼痛。

2. 增强核心力量：提升腹部和背部肌肉力量，保护脊柱。
3. 提高心肺功能：通过有氧运动增强耐力。
4. 增加肌肉力量：避免久坐导致的肌肉萎缩，提高新陈代谢。
二、健身计划（每周3～4次）
……

3.1.10　假设身份提问，拓展AI创作视角

扫码看教学视频

运营者可以假设一个角色的身份并提出问题，这样可以为DeepSeek提供更明确的情境。需要注意的是，身份设置要具体和明确，如学生、医生、客户等，避免过于泛泛的身份设置。同时，背景情境要尽量描述充分，帮助DeepSeek更好地理解该身份的视角。另外，身份的请求要尽量用第一人称表达，增加代入感和逼真度，相关案例如下。

提示词

我是一名互联网公司的实习生，因为缺乏实战经验，对现在的工作有很多不适应，且缺少与同事沟通的方法，请针对我的现状，推荐一些能提升我的工作技能和改善状态的方法。

DeepSeek

作为一名互联网公司的实习生，遇到不适应和沟通困难是很正常的现象，不用担心，以下是一些可以帮助你提升工作技能和改善状态的方法。
一、提升工作技能
1. 主动学习公司业务和产品
- 研究产品：深入了解公司开发的产品或服务，包括它的功能、目标用户群体、市场定位等。例如，如果是做一款社交软件，你可以自己下载使用，体验它的各个功能模块，像聊天、发布动态、添加好友等，思考这些功能是如何满足用户社交需求的。
- 学习行业知识：互联网行业变化很快，要关注行业动态。可以通过阅读行业报告、专业书籍、知名科技媒体网站来了解行业趋势、新技术应用等。比如，现在很火的人工智能是如何在互联网产品中应用的，智能推荐算法是如何为用户精准推送内容的。
2. 利用在线资源学习专业技能
- 技术类课程：如果你是技术岗位，像编程语言、前端开发、后端开发相关的知识可以通过在线学习平台（如网易云课堂、慕课网等）学习。
……

3.2　AI提示词高级技巧，突破创作边界

在掌握了基础的AI智能办公提示词编写技巧后，进一步提升提问的艺术与

效率，是每个运营者从新手迈向专家的重要步骤。本节将介绍 6 个高级的 AI 提示词技巧，旨在帮助大家更有效地利用 DeepSeek 完成各种文案写作任务。

3.2.1 直接问，快速获取创作结果

扫码看教学视频

在编写 DeepSeek 的提示词时，“直接问”是一种高效且实用的策略，其核心在于通过简洁、直接的语言表达自己的需求，确保 DeepSeek 能够迅速而准确地理解并回应，相关案例如下。

提示词

请告诉我去武汉看樱花的最佳日期。

DeepSeek

去武汉看樱花的最佳日期通常在3月中旬到4月初。以下是具体信息。

1. 最佳观赏期

- 3月中下旬是武汉樱花的盛开期，尤其是3月20日前后，樱花最为繁茂。
- 如果天气较暖，花期可能提前；若气温较低，花期则会延后。

2. 推荐地点

- 武汉大学：樱花与校园建筑相映成趣，需提前预约。
- 东湖樱花园：规模大、品种多，是热门赏樱地。
- 晴川阁：古建筑与樱花结合，别具特色。

3. 注意事项

……

3.2.2 精准问，深入挖掘创作潜力

扫码看教学视频

在编写 DeepSeek 的提示词时，采用“精准问”的策略至关重要，这意味着运营者需要对问题进行细致的划分和明确的表述，以确保 DeepSeek 能够准确理解运营者的意图，并给出符合预期的答案，相关案例如下。

提示词

我需要你为我生成一份关于“5G技术对新媒体内容形式和传播方式的影响”的研究报告，报告应包含引言、现状分析、影响评估、应对策略和未来展望5个部分，请确保报告中的数据准确、来源可靠，并附上参考文献列表。

DeepSeek

以下是一份关于“5G技术对新媒体内容形式和传播方式的影响”的研究报告。

一、引言

随着5G技术的快速发展和广泛应用，新媒体领域正经历着前所未有的变革。5G技术以其高速率、低延迟和海量连接的特性，为新媒体的内容形式和传播方式带来了深远的影响。本文将从现状分析、影响评估、应对策略和未来展望四个方面，探讨5G技术对新媒体发展的推动作用及其带来的挑战。

二、现状分析

1. 5G技术的发展现状

5G技术自2019年正式商用以来，已在全球范围内得到广泛应用。其主要技术指标包括1～20 Gbit/s的峰值速率、1～10ms的端到端时延，以及1～100倍的网络能耗效率提升。目前，5G应用场景被划分为增强移动宽带、海量机器类通信和高可靠低时延通信，分别对应不同的使用需求。

2. 新媒体领域的融合现状

……

3.2.3 指令式提问，精确控制创作过程

扫码看教学视频

采用“指令式提问”的提示词策略，能够显著提升DeepSeek的工作效率和回复结果的准确性。“指令式提问”策略强调在提问时直接给出明确的操作指令，让DeepSeek能够迅速理解并执行相应的任务，相关案例如下。

提示词

请根据我提供的关键词——线上课程、超高清直播互动课堂、虚拟仿真实训，编写一段内容，介绍这些技术在改善教育方面的重要性，不超过200字。

DeepSeek

在当今数字化时代，线上课程、超高清直播互动课堂和虚拟仿真实训等技术正深刻改变着教育面貌。线上课程突破时空限制，让优质教育资源触手可及，学生可随时随地学习。超高清直播互动课堂则通过高清画质与实时互动，营造沉浸式学习氛围，增强师生交流，提升教学效果。虚拟仿真实训更是为实践教学开辟了新天地，借助虚拟技术模拟真实场景，让学生在安全、低成本的环境中反复操作，掌握复杂技能。这些技术融合，不仅丰富了教学形式，更推动了教育公平与质量提升，助力教育迈向智能化、个性化新时代。

3.2.4 模板化引导，高效管理创作项目

扫码看教学视频

在编写DeepSeek的提示词时，采用“模板化引导”策略是一种高效且有序的方法，它通过预设的模板来规范DeepSeek的输出格式和内容结构，确保结果的统一性和可预测性。同时，“模板化引导”策略也为后续的内容管理和利用提供了便利，相关案例如下。

提示词

请按照以下模板生成关于“多核碳源在污水处理中的应用及其降本增效效果”的应用型科研论文报告。
科研项目概述：简述项目背景、目标和意义。
需求分析：详细描述研究的需求，包括理论依据和实际应用场景。
效果展示：通过实际数据等展示研究成果。
问题与挑战：总结项目过程中遇到的问题和解决方案。
总结与展望：对项目进行总结，并对未来研究方向提出建议。
请确保报告内容翔实、条理清晰

DeepSeek

《多核碳源在污水处理中的应用及其降本增效效果研究》
一、科研项目概述
（一）项目背景
随着全球工业化和城市化的快速发展，污水处理成为环境保护领域的关键问题。在传统污水处理过程中，碳源不足常常限制了微生物的活性，导致处理效率低下，且运行成本较高。近年来，多核碳源作为一种新型的高效碳源，因其独特的结构和性能，逐渐受到关注。多核碳源具有高碳含量、易生物降解、快速释放有机碳等特点，能够有效补充污水中的碳源，促进微生物代谢，从而提高污水处理效率。因此，研究多核碳源在污水处理中的应用具有重要的现实意义。
（二）项目目标
本项目旨在探索多核碳源在污水处理中的应用效果，通过实验研究和数据分析，验证其降本增效的潜力。具体目标如下。
（1）评估多核碳源对污水中污染物去除效率的提升作用；
（2）分析多核碳源在实际污水处理工艺中的适用性；
（3）量化多核碳源使用后的成本降低情况，为污水处理厂提供科学的决策依据。
……

3.2.5 整合式提问，全面梳理创作成果

扫码看教学视频

用“整合式提问”策略编写的提示词，可以显著提高 DeepSeek 的回复效果。将多个相关问题整合到一个提示词中，可以减少重复提问，提高效率，相关案例如下。

提示词

请为我完成以下任务。
1. 收集近一个月内关于“3D打印技术在建筑领域的应用”的最新研究报告，并提炼出每篇报告的主要观点和结论。

2. 基于收集到的信息，分析3D打印技术在建筑领域的主要应用场景和潜在挑战。
3. 针对每个应用场景，提出至少两项改进建议，并简要说明其可行性和预期效果。
4. 最后，将以上内容整合成一篇500字左右的短文，要求语言简洁明了、重点突出。

DeepSeek

《3D打印技术在建筑领域的应用研究与展望》
一、应用场景与挑战
3D打印技术在建筑领域展现出广阔的应用前景，主要包括建筑结构建造、复杂构件制造和现场快速组装等。它能够直接打印墙体、地基、屋顶等结构部件，甚至整栋建筑。此外，3D打印技术在异形构件制造方面具有显著优势，可实现传统工艺难以完成的中空、镂空结构。然而，该技术仍面临诸多挑战，如材料强度和耐久性不足、打印设备的尺寸和精度有限、技术标准和规范缺失，以及公众接受度较低等。
二、改进建议
1. 建筑结构建造
- 材料研发：开发高性能复合材料，如纳米材料和纤维增强混凝土，以提高打印材料的强度和耐久性。
- 设备升级：研发更大尺寸、更高精度的3D打印机，突破建筑体量和跨度的限制。
……

3.2.6　创新式探索，突破创作边界

扫码看教学视频

采用“创新式探索”策略编写的提示词，能够激发 DeepSeek 非传统的思考方式，鼓励其生成独特、新颖的见解和解决方案。这种策略强调跳出常规框架，勇于尝试不同的方法和思路，以激发创意的火花，相关案例如下。

提示词

请运用你的创造力和想象力，结合科技与魔幻元素，为我构思一个前所未有的故事。在这个故事中，拥有时间裂缝可以穿梭时空，连接着科幻世界与魔法世界，是科技与魔法的碰撞，点燃了不一样的火花。你的故事不需要遵循传统叙事结构，可以大胆创新，探索科技与魔法的交织关系。我期待一个充满惊喜、挑战和深刻寓意的创意作品。

DeepSeek

《时间裂缝：科技与魔法的交响曲》
在遥远的宇宙深处，存在一个名为“裂隙界”的神秘国度。裂隙界并非一个独立的世界，而是一个由无数时间裂缝编织而成的时空网络，连接着两个截然不同的宇宙——科技高度发达的“赛博星系”和充满古老魔法力量的“奥术纪元”。这两个世界原本平行而孤立，直到一次宇宙级的灾难打破了它们之间的平衡，时间裂缝开始在两个世界中随机出现，将科技与魔法强行拉入了同一个舞台。

1. 赛博星系：科技的极致与困境
赛博星系是一个以高度机械化、数字化和人工智能为核心的文明。这里的城市如同钢铁森林，巨大的数据中心和量子计算机构成了社会的中枢神经系统。人类早已将自己的意识与机械身体融合，进化为“赛博人”，拥有近乎无限的知识储备和强大的身体机能。然而，随着科技的飞速发展，赛博星系也陷入了新的危机。时间裂缝的出现导致了时空的不稳定，一些古老的魔法能量开始渗入这个世界，引发了技术故障、人工智能的异常以及现实结构的扭曲。赛博星系的科学家们发现，他们无法用现有的科技理论解释这些现象，而唯一的解决办法似乎隐藏在时间裂缝的另一端——奥术纪元。
……

3.3 本章小结

本章首先介绍了 AI 提示词的基础技巧，包括明确目标、精心构思、使用自然语言、通过示例引导等，旨在提高提示词的有效性和准确性；然后介绍了 AI 提示词的高级技巧，如直接问、精准问、指令式提问、模板化引导等，以进一步提升提示词的针对性和创新性。这些技巧共同构成了高效编写 AI 提示词的知识体系。

3.4 课后实训

扫码看教学视频

鉴于本章知识的重要性，为了帮助读者更好地掌握所学知识，本节将通过课后实训，帮助读者进行简单的知识回顾和补充。

实训任务：根据本章 3.1.1 小节所介绍的 AI 提示词技巧，用 DeepSeek 生成一篇科普文章，相关案例如下。

提示词

以“自动驾驶汽车的应用”为主题，写一篇科普文章。要求：关注现实，不超过500字，写作风格专业又客观。

DeepSeek

《自动驾驶汽车：驶向未来的交通变革》
自动驾驶汽车，作为人工智能与汽车工业深度融合的产物，正在逐步从实验室走向现实道路，引发了交通领域的深刻变革。
自动驾驶汽车的核心技术主要依托于先进的传感器系统、高精度地图、人工智能算法以及强大的计算平台。车辆通过激光雷达、摄像头、毫米波雷达等多种传感器，实时感知周围环境，获取道路状况、交通标志、行人和障碍物等信息。随后，车辆基于高精度地图提供的详细路况数据，结合人工智能算法进行路径规划与决策，从而实现无需人工干预的自动驾驶。

在现实应用中，自动驾驶汽车展现出诸多优势。首先，它能够显著提升交通安全。据统计，约90%的交通事故源于人为失误，而自动驾驶系统凭借其精准的感知与快速反应能力，可有效降低事故率。其次，自动驾驶汽车可优化交通流量，通过车辆之间的协同通信，能够减少拥堵，提高道路通行效率。此外，它还能为出行不便的人群，如老年人、残疾人等，提供更便捷的出行方式，促进社会公平。

……

【创作篇】

第 4 章 DeepSeek + 文案创作，轻松打造爆款文案

在数字化时代，文案写作是内容创作的核心之一，它不仅关系到是否能吸引用户关注，更决定了内容的传播效果与品牌形象的塑造。DeepSeek 是一款基于人工智能的文案生成工具，能够快速生成高质量文案，支持多种语言风格，极大提高了写作效率。DeepSeek 不仅可以自动推荐热点和相关信息，还能在几秒钟内生成完整文案，大大节省了时间。本章将为大家介绍使用 DeepSeek 打造爆款文案的技巧。

4.1 文案创作基础，掌握基本原则与类型

在信息爆炸的洪流中，一篇优秀的文案不仅能够迅速吸引大家的注意力，还能有效传达信息、激发情感共鸣，甚至引导行动。那么，如何在信息爆炸的碎片化环境中脱颖而出，撰写出独具魅力的文案呢？本节将深入探讨文案创作的基本原则，解析文案创作的常见类型，开启文案创作的全新篇章。

4.1.1 文案创作的基本原则，奠定基础

扫码看教学视频

文案创作是一门艺术，也是一门科学。要想写出一篇精彩绝伦、引人入胜的文案，首先必须遵循文案创作的基本原则。这些原则是文案成功的基础，如同大厦的根基，只有根基稳固，文案才能在众多信息中脱颖而出，精准地传达核心内容，进而引发情感共鸣并实现特定目标。以下是文案创作的6个基本原则，如图4-1所示。

- 明确目标 → 在创作文案之前，必须清楚地确定文案的目的。文案的目标可能是多种多样的，比如宣传产品、推广活动、塑造品牌形象、引导用户行为等。只有明确了目标，才能在文案创作过程中有的放矢。
- 了解受众 → 文案是与特定受众群体沟通的工具，因此深入了解受众是至关重要的。只有充分了解受众，才能使用他们能够理解和接受的语言、风格和内容来创作文案。
- 简洁明了 → 文案的核心在于有效传递信息，因此简洁明了是至关重要的原则。应避免冗长、复杂的句子和段落，尽量用简洁的语言表达意图，这样更容易被受众理解，也更容易在短时间内吸引受众的注意力。
- 情感共鸣 → 文案要能够触动受众的情感，引发共鸣。当受众在阅读文案时能够产生情感上的共鸣，他们就更容易接受文案传达的信息，并且更有可能采取行动，如购买产品、参与活动等。
- 真实可信 → 文案的内容必须基于真实可靠的信息，才能赢得受众的信任。虚假的文案不仅会误导受众，还会损害品牌形象和声誉。在创作文案时，要核实好所使用的数据，真实地展示产品或服务的优势和特点。
- 风格一致 → 文案的风格应该与品牌定位和目标受众一致。不同的品牌和受众群体适合不同的文案风格，比如有的品牌适合正式的风格，有的则适合轻松的风格。在创作文案时，要保持整体语言风格的统一。

图 4-1 文案创作的 6 个基本原则

4.1.2 文案创作的常见类型，灵活运用

扫码看教学视频

文案创作，作为一种文字表达方式，广泛应用于各种领域，旨在通过文字传达特定的信息或情感。根据文案的功能，可以将其划分为多种类型，以下是一些常见的文案创作类型及其功能，如图 4-2 所示。

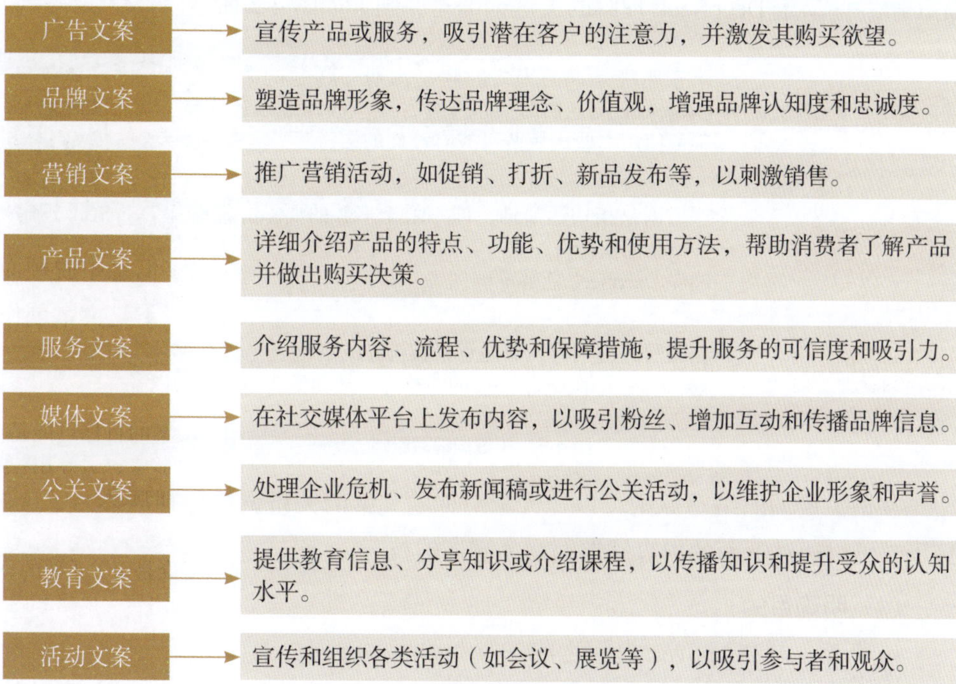

图 4-2　常见的文案创作类型及其功能

除此之外，文案创作的风格也十分重要。例如，正式风格通常用于商务、学术、官方公告等场景；幽默风格以诙谐、风趣的语言吸引读者。不同的文案风格适用于不同的场景和受众，选择合适的风格能够更好地实现文案的传播和沟通目的。

4.2 标题文案的AI写作技巧，打造爆款标题

标题文案之于文案，相当于服装之于人，都是起着给人留下第一印象的作用。因此，运营者若是想要通过文案迅速吸引受众的眼球，就需要好好打造标题文案，运用 DeepSeek 生成标题文案是不错的选择。本节将为大家介绍用 DeepSeek 生成标题文案的技巧。

4.2.1 优化标题关键词，打造爆款标题

扫码看教学视频

DeepSeek 是对话聊天形式的 AI 模型，因此运营者要想获得有效的回复就需要与其建立起清晰、交互的沟通，通过 DeepSeek 获得标题文案也是如此。在运营者要求 DeepSeek 生成标题文案之前，可以先了解一些易于 DeepSeek 理解的关键词编写原则，如图 4-3 所示。

语言明晰原则 → 语言明晰是人与人之间建立沟通与联系的第一要义，运营者在与 DeepSeek 沟通的时候也一样，应该准确地表达词意、句意和语意，避免使用一些模棱两可或有歧义的语言。

简明扼要原则 → 一方面是指用语简洁，但不限于字数的要求，能够让 DeepSeek 理解并给予回应即可；另一方面是指简单的提示，尽量不使用符号或切线，确保 DeepSeek 能够准确理解。

关联需求原则 → 在编写关键词时，需注意紧扣自己的需求，尽量不要引入不相关的话题，以免分散 DeepSeek 的注意力，从而生成不相关的内容。

图 4-3　关键词编写原则

掌握关键词的编写原则可以让大家对标题文案的关键词编写有清晰的定位，接下来可以通过下面的内容掌握编写关键词的技巧。

（1）明确目的

运营者在向 DeepSeek 提问之前，或者编写关键词之前，需要先明确目的是什么，清楚地知道自己想要 DeepSeek 做什么，是提供咨询、提供解决方法还是随意交谈？如运营者想要 DeepSeek 提供标题文案，那么“提供标题文案”则是编写关键词的目的。

（2）具体描述

在明确了目的之后，运营者可以围绕目的进行具体的语言描述，以确保 DeepSeek 能够理解并给予回应。例如，运营者首先明确了目的是让 DeepSeek “提供标题文案”，之后再添加具体的描述为“给我 10 个有关美食领域的短视频标题文案”，相关案例如下。

提示词

给我10个有关美食领域的短视频标题文案。

DeepSeek

1. “一口入魂！这家店的招牌菜让你停不下来！”

——揭秘网红餐厅的必点美食，吃一口就爱上！

2. “深夜放毒！这些宵夜你敢挑战吗？”

——深夜美食大合集，看完别喊饿！

3. “5分钟搞定米其林级早餐，懒人必备！”

——简单又高级的早餐食谱，轻松提升生活品质！

4. “隐藏在小巷里的神仙小吃，人均20元吃到撑！”

——带你挖掘城市里的宝藏美食，便宜又好吃！

……

（3）善于引导

运营者在与DeepSeek对话时，对于有意义的话题，可以适当引导或鼓励DeepSeek提供更深入的信息或深入研究某个主题。

（4）把握对话走向

运营者在与DeepSeek对话的过程中，需要把控对话的方向，实时调整对话的内容，以保证话题不偏离。如果对话偏离主题，运营者可以通过增加关键词或重新提问将对话引导至正轨上，可以多用一些引导句式，如“那么怎么做呢？”“具体是什么呢？”等。

（5）注意语气

为确保沟通顺利进行，运营者在与DeepSeek对话时，应使用专业性、尊重的语气，尽量不要使用过于随意或带有冒犯性的语言和语气。

提供清晰的提示词可以确保DeepSeek生成满足运营者需求的高质量内容，减少错误和偏差。当然，要做到这一点，需要注意提示词的准确性和详细性，目标应该清晰明确，涵盖运营者所希望生成的内容的主题和要点。

4.2.2　生成标题文案，提升创作效率

扫码看教学视频

标题文案可以从写作结构上进行划分，包括悬念式、对比式、新闻式、隐喻式、数字式、借势式和观点式等类型。下面介绍悬念式标题文案的生成技巧。

悬念式标题文案是一种文案写作类型，具体指在标题中设置一个问题或挑战，旨在引起受众的好奇心和兴趣，促使他们阅读文案或观看视频。运营者可以在DeepSeek中输入关键词，以引导DeepSeek生成悬念式标题文案，相关案例如下。

提示词

请提供10个以“牙膏的用处”为主题的悬念式标题文案。

DeepSeek

1. 牙膏除了刷牙，还能拯救你的手机屏幕？（揭秘牙膏修复屏幕划痕的真相）
2. 牙膏挤一点，轻松去除顽固污渍！（探索牙膏在家居清洁中的神奇功效）
3. 牙膏竟然能美白鞋子？（揭露牙膏美白鞋子的秘密，让你的鞋子焕然一新）
4. 牙膏妙用：让你的首饰重现光彩！（分享牙膏清洁首饰的简单方法，让它们闪耀如新）
5. 牙膏还能这样用？拯救你的痘痘肌！（探讨牙膏祛痘的可行性，以及需要注意的事项）

……

在提示词中加入具体的标题文案风格，DeepSeek 就能生成相应的文案。例如，如果需要新闻式的标题文案，可以输入类似于“写出 5 个有关武汉旅游纪录片的新闻式标题文案”这样的提示词，就能让 DeepSeek 生成新闻式的标题文案。

4.2.3 打造爆款标题，引领创作潮流

扫码看教学视频

标题文案往往是一篇文章或一个视频的“门面”，起到给受众留下第一印象的作用，因此运营者在撰写文案和创作短视频时应格外重视标题文案的撰写，致力于打造出爆款标题文案。打造爆款标题文案需要掌握一定的技巧，通过 DeepSeek 则可以快速地实现，相关案例如下。

提示词

请使用幽默的词汇，为一个萌宠拆家的搞笑短视频提供爆款标题文案。

DeepSeek

1. “拆家小分队已上线！主人：我养的不是宠物，是拆迁队！”
2. “萌宠：今天不拆家，明天没地位！主人：我谢谢你啊！”
3. “狗狗：这个家没有我，早散了！主人：这个家有你，早散了！”
4. “拆家一时爽，一直拆家一直爽！主人：我的钱包在哭泣……”
5. “萌宠：拆家是我的使命！主人：我的使命是收拾残局……”
6. “狗狗：我不是在拆家，我是在帮你重新装修！主人：我谢谢你全家！”

……

除此之外，运营者还可以根据 DeepSeek 生成的答案，进一步优化关键词，以获得更多爆款标题文案，如输入“我觉得‘今天，你将被所有人同情，因为你的家被拆没了！’这个文案更能吸引人，请再次生成类似的标题文案”。

4.3　文案结构的AI写作技巧，构建逻辑框架

一般情况下，文案的内容会以开头、正文和结尾的常规结构进行布局，方便条理清晰地表达含义。在文案写作时，为使文案的整体价值达到最大化，可以拆分结构，分别生成。本节将为大家介绍文案结构的 AI 写作技巧。

4.3.1　生成文案开头，开启精彩篇章

扫码看教学视频

与标题文案一样，文案的开头也起到引起受众观看兴趣的作用，好的标题文案决定受众是否观看文案或视频，而好的文案开头则决定受众能否看完文案或视频，因此运营者对于文案开头的创作也不能懈怠。

文案开头类型常见的有下面这 5 种，如图 4-4 所示。

- 点明主题型 → 在开头就直接点明主题的文案策略，即“开篇点题”。这类文案技巧是借开头引出文章的中心主题，让受众一目了然，并且能够给受众留下深刻的印象。
- 引起共鸣型 → 是指开头使受众共情，产生启发或认同感的文案技巧。这类文案技巧通常用比喻、拟人、引用等表现手法来实现，能够吸引受众阅读或观看完全部的内容。
- 引经据典型 → 是指引用名人名言、文学典籍、典故等作为开头揭示主题的文案技巧。这类文案技巧能够在点明文案主题的同时，增加文案内容的文化底蕴，提升文案水平，使受众眼前一亮。
- 描述热点型 → 是指在开头说明社会热点事件、话题或元素的文案技巧。这类文案并非都是对热点的阐述，而可以借势热点引申出其他的内容，如借势热门电视剧引申出某个现实话题等。
- 创设情境型 → 是指构建虚拟场景或提出问题，引起受众产生画面感或进行思考的文案技巧，如“试想一下，我们正经历着 ××（事件），你会 ××（行动）吗”“你们经历过 ×××（事件）吗”等。

图 4-4　文案开头类型

运营者运用 DeepSeek 生成引经据典型文案开头时，可以在提示词中说明引用什么名人名言或者词语典故等，也可以直接向 DeepSeek 提问，不限制引用的内容，相关案例如下。

提示词

请引用“温故而知新”，提供一些适合短视频的文案开头。

DeepSeek

以下是几个适合短视频的文案开头，结合“温故而知新”的主题，既简洁又有吸引力。

1. “温故而知新，经典永不过时！今天带你重温那些年被我们忽略的细节，发现全新的感动！”

——适合文化、历史或知识类短视频。

2. “你以为你懂了？温故而知新，重新翻开这本书/这段历史，才发现原来还有这么多惊喜！”

——适合书籍推荐、历史解说或知识分享类视频。

3. “小时候看是故事，长大后看是人生。温故而知新，这次我读懂了不一样的结局。”

——适合情感、成长或影视解说类短视频。

……

在文案的开头，通过引用经典和权威，为文案增添了分量和可信度，有助于吸引受众的注意力并引导他们继续阅读。

4.3.2 布局内容结构，构建逻辑框架

扫码看教学视频

为了达到引人入胜的目的，文案的内容布局有多种编排方式，包括悬疑型、平行型、层进型、“总分总”型等，如图 4-5 所示。这些内容布局都可以被 DeepSeek 编排成答案，只需要运营者提供恰当的提示词即可。

悬疑型 → 在讲述文案内容时，不会完整地讲述全部事件，而是在情节发展的关键之处停下，给受众留下疑惑，以此来调动受众的观看兴趣。

平行型 → 是指平叙其事，讲述一个事件的多个方面，或是多个事件一起讲述的结构形式。在这类结构中，所叙述的事件没有高低、先后之分，属于平行并列的关系。

层进型 → 是指所描述的事件、话题等具有环环相扣、循序渐进关系的结构形式。可以让 DeepSeek 先生成一个故事开头，然后按照故事发展顺序进行续写。

“总分总”型 → 指按照“总写—分写—总写”来布局内容的结构形式，如文案的开头先总体概括全部的内容，然后中间部分进行详细介绍，最后总结并升华内容。

图 4-5 文案内容布局的安排方式

运营者在 DeepSeek 中生成悬疑型内容布局时，可以先提供一个实例，然后让其模仿实例来生成答案，相关案例如下。

提示词

请模仿悬疑型文案的写法，提供一篇关于珠宝招商会的文案，字数在300字以内。

DeepSeek

夜幕低垂，城市的霓虹灯在玻璃幕墙上投下斑驳的影子。珠宝招商会的邀请函静静地躺在桌上，烫金的字体在昏黄的灯光下泛着微光。这是一场只有少数人知晓的盛会，传闻每一件展出的珠宝都承载着一个不为人知的秘密。

会场设在市中心一栋古老建筑的顶层，电梯门打开的瞬间，冷冽的空气扑面而来。走廊尽头，一扇厚重的雕花木门虚掩着，隐约传来低沉的交谈声。推门而入，水晶吊灯的光芒刺得人睁不开眼，陈列柜中的珠宝在灯光下闪烁着诡异的光泽。

“每一件珠宝，都有它的故事。”一位身着黑色礼服的男子悄然走近，声音低沉而沙哑。他的目光落在一枚镶嵌着深蓝色宝石的戒指上，嘴角微微上扬：“比如这枚‘海洋之心’，据说它的主人曾在一场海难中神秘消失。”

空气中弥漫着一种难以言喻的紧张感，仿佛每一件珠宝都在无声地诉说着它的过去。而你，是否准备好揭开这些隐藏在光芒背后的秘密？

输入相应的提示词，就能指导 DeepSeek 生成悬疑型内容布局。悬疑型文案能够有效吸引受众的注意力，引导他们深入了解产品或信息，并最终促使他们采取行动。这是非常受欢迎的一种文案结构。

4.3.3　生成文案结尾，完美收尾

扫码看教学视频

文案的结尾发挥着总结与强调观点、呼吁受众采取行动、给受众留下深刻印象和引导受众深入思考的作用。好的结尾能够增强文案的吸引力和影响力，因此运营者有必要重视文案结尾的创作。

常见的文案结尾有以下 4 种类型，如图 4-6 所示。

呼应型 → 是指在结尾处呼应主体内容或开头的文案技巧。这类文案最为主要的作用是强化信息，在广告营销文案中应用较广，能够起到加深受众对产品的印象和增强受众信任的作用。

引用型 → 是指在结尾处引用文学典籍、名言名句等来深化思想、升华主题的文案技巧。在引用时需注意的是，这类文案选择的名言名句要紧扣文案主体内容，且具有说服力和影响力。

图 4-6

修辞型 → 是指在结尾处运用修辞手法来写作的文案技巧，可以起到增强文案的表现力和感染力，增加受众记忆点的作用。

反转型 → 是指在结尾处给人出乎意料感觉的文案技巧。这类文案通常融入幽默元素，作为搞笑视频的结尾，并给受众留下深刻的印象。

图 4-6　文案结尾的类型

运营者可以让 DeepSeek 生成一个幽默故事的脚本，并输入“这个故事的结局，要求有反转”提示词，相关案例如下。

提示词

提供一个幽默故事的脚本，带有故事情节的，主题为“办公室丢失的文件”，300字以内，这个故事的结局，要求有反转。

DeepSeek

标题：消失的文件
场景：办公室
角色：小李（职员）、老王（经理）、清洁阿姨
（小李焦急地在办公室翻找文件）
小李：（自言自语）文件呢？明明放在桌上的！
（老王走进来）
老王：小李，那份重要文件呢？客户等着呢！
小李：（慌张）经理，我找遍了，就是不见了！
……

如果运营者对故事的结局不是很满意，还可以继续输入“这个结尾不够新颖，反转力度还不够，请继续生成”提示词，让 DeepSeek 优化这个脚本。

4.4　用DeepSeek提升文案质量，精准触达用户

运营者可以用 DeepSeek 来提升文案质量并精准触达用户。DeepSeek 可以为运营者提供创意灵感和基础框架，从而制订具有针对性的文案策略，快速生成高质量的文案初稿，帮助运营者节省时间并提高创作效率。本节将介绍使用 DeepSeek 提升文案质量的几种实战案例。

4.4.1 调整文案风格，精准触达用户

扫码看教学视频

DeepSeek 可以通过构建精准的用户画像，来调整文案的风格和内容，生成符合用户需求的个性化文案。同时，它还支持多种文案风格的切换，比如模仿名人文风或调整语言的通俗性，从而精准触达用户，提升内容的吸引力和转化率，相关案例如下。

提示词

文案：在遥远的山谷中，有一群人世代以手工编织为生。他们用心挑选每一根线材，融入自然灵感与世代传承的技艺，创造了“织梦”品牌。从默默无闻到备受追捧，“织梦”不仅传递着温暖与舒适，更承载着对传统的尊重与创新的追求。
根据上面提供的品牌文案，调整该文案的风格，以亲切的语言，增强故事的真实性，触动人的内心深处。

DeepSeek

在那片被青山绿水环绕的山谷里，住着一群可爱的手艺人。他们祖祖辈辈都靠着手艺吃饭，干的活儿就是手工编织。你要是去那里，准能看到他们精心挑选线材的模样，那眼神，就跟挑媳妇似的，一点儿马虎不得。他们从大自然里找灵感，把祖上传下来的手艺，一点一滴地融入进去，就这样，有了“织梦”这个品牌。
一开始，“织梦”没啥名气，就像山谷里的小野花，藏在角落里。可慢慢地，人们发现了它的美，它就像一颗闪闪的星星，一下子就被大家追捧起来。你摸摸那些手工编织的东西，就能感受到那份暖和，那可不是普通的暖和，是用心编织出来的温度。它不仅暖手，更暖人心。这背后，藏着对手艺的尊重，对传统的坚守，还有对创新的勇敢尝试。每一针每一线，都像是在诉说着故事，让人心里暖暖的，特别踏实。
……

4.4.2 提高文案准确性，提升专业品质

扫码看教学视频

在信息泛滥的时代，精准且专业的文案是使运营者创作的内容脱颖而出的关键。无论是商业推广、学术研究还是日常沟通，文案都肩负着传递价值、塑造形象、激发共鸣的重任。然而，传统文案创作常面临语言不精准、术语误用、内容缺乏深度和逻辑等问题，这不仅阻碍信息传达，还可能削弱受众信任。

DeepSeek 的出现能够帮助运营者提升文案的准确性和专业品质，确保文字表达精准触达目标用户，展现卓越风采，相关案例如下。

提示词

你是一名市场调研专家，请从专业的角度，分析新能源汽车的现状与前景，500字以内，确保数据来源的准确性，避免虚假信息。

DeepSeek

新能源汽车现状与前景分析

1. 市场现状

2025年，全球新能源汽车市场持续高速增长，中国作为全球最大的新能源汽车市场，产销量已连续多年位居全球第一。2024年，中国新能源汽车销量达到1090万辆，同比增长41%，市场渗透率接近50%。全球范围内，新能源汽车销量也突破1175万辆，渗透率达19.11%。

2. 技术进展

电池技术是新能源汽车的核心驱动力。2025年，电池能量密度预计提升20%，续航里程有望达到600公里。此外，智能驾驶技术快速发展，自动驾驶辅助系统逐渐普及，充电基础设施也在不断完善，充电时间已缩短至30分钟以内。

……

4.4.3 生成多语言文案，拓展国际视野

扫码看教学视频

随着科技的飞速发展，人工智能技术在跨文化交流与传播中扮演着越来越重要的角色。DeepSeek 能够生成多种语言的文案，可以将中文翻译成其他国家的语言，实现多语种的互译，这项功能不仅为信息的快速传播提供了强大助力，更成为拓展国际视野的关键桥梁，相关案例如下。

提示词

“在快节奏的现代生活中，健康成为人们最关注的话题之一。然而，忙碌的工作和生活常常让我们无暇顾及自己的身体状况。今天，我们带来了一款能够时刻守护你健康的智能手环，让你轻松掌握身体动态，开启健康生活的新篇章！”用英文翻译这段文案。

DeepSeek

In the fast-paced modern life, health has become one of the most concerned topics for people. However, busy work and life often leave us little time to pay attention to our physical condition. Today, we bring you a smart bracelet that can constantly safeguard your health, allowing you to easily monitor your body’s dynamics and embark on a new chapter of healthy living!

4.4.4 增强文案情感共鸣，增强影响力

扫码看教学视频

文案的影响力不仅取决于其内容的深度与广度，更在于能否触动人心深处的情感共鸣。DeepSeek 作为前沿技术的代表，致力于挖掘

文案背后的情感密码，通过精准的情感分析与优化，让文字不再是冰冷的字符，而是充满温度与力量的沟通桥梁。

DeepSeek 能够赋予文案更强大的感染力，实现从简单传递信息到引发情感共鸣的转变，真正让文案成为打动人心、引领潮流的关键力量，相关案例如下。

提示词

"轻盈素颜霜，自然提亮肤色，无需卸妆，保湿养肤，快速打造伪素颜，适合日常裸妆或懒人美妆，一抹即亮。"对提供的文案进行优化升级，提高文案的质量，加入真实的自身经历，增强文案的情感共鸣，增强影响力。

DeepSeek

你是否也曾厌倦了厚重的粉底，渴望拥有自然透亮的素颜美肌？
曾经的我，每天早晨都要花费大量时间在化妆上，厚重的粉底让我感觉皮肤无法呼吸，卸妆更是烦琐又伤肤。直到我遇见了这款轻盈素颜霜，它彻底改变了我的生活！
只需轻轻一抹，它就能自然提亮我的肤色，遮盖暗沉和瑕疵，让我瞬间拥有伪素颜般的透亮美肌。更神奇的是，它无需卸妆，只用洗面奶就能轻松洗净，简直是懒人福音！
这款素颜霜不仅轻薄透气，还富含多种保湿养肤成分，在修饰肤色的同时，还能为肌肤补充水分和营养，让我的肌肤越来越健康有光泽。
现在，我每天都能多睡半小时，再也不用担心迟到。即使是匆忙的早晨，也能快速打造出自然裸妆，自信满满地出门！
……

4.5　本章小结

本章首先介绍了文案创作的基础知识，包括文案创作的基本原则和常见类型；然后介绍了标题文案的 AI 写作技巧，包括优化标题关键词、生成标题文案以及打造爆款标题的方法；最后介绍了使用 DeepSeek 提升文案质量的方法，如调整文案风格、提高文案准确性、生成多语言文案以及增强文案情感共鸣等。

4.6　课后实训

扫码看教学视频

鉴于本章知识的重要性，为了帮助读者更好地掌握所学知识，本节将通过课后实训，帮助读者进行简单的知识回顾和补充。

实训任务：使用 DeepSeek 生成 10 个数字式的标题文案，相关案例如下。

提示词

请提供10个以“重庆景点推荐”为主题的数字式标题文案。

DeepSeek

重庆景点推荐：10个数字式标题文案

1. 10个必打卡的重庆景点，带你玩转山城！（强调必打卡，吸引眼球）
2. 重庆旅游攻略：5个免费景点+5个收费景点，省钱又好玩！（突出免费和收费，提供实用信息）
3. 3天2夜玩转重庆：7个经典景点路线推荐，不走冤枉路！（针对短途游，提供路线规划）
4. 带孩子游重庆：6个亲子景点推荐，寓教于乐两不误！（针对亲子游，突出亲子互动）
5. 重庆美食地图：10个景点周边必吃美食，边玩边吃！（将景点与美食结合，吸引吃货）
6. 重庆小众景点推荐：8个冷门但超美的地方，避开人潮！（针对喜欢探索的游客，突出小众）
7. 重庆网红景点打卡指南：9个拍照胜地，刷爆朋友圈！（针对喜欢拍照的游客，突出网红属性）

……

第 5 章
DeepSeek +即梦，AI 让图片创作超简单

在这个视觉为王的信息化时代，一张吸引人的图片胜过千言万语。随着人工智能技术的不断进步，AI 辅助图片创作正逐渐成为运营者创作的得力工具。本章将走进 AI 与视觉艺术结合的世界，探索如何利用 DeepSeek 激发创意灵感，打造精品图片，并结合即梦 AI 生成高品质的图片，提升图片内容创作的效率和质量。

5.1 AI图片生成的提示词技巧，掌控生成布局

在新媒体文章中，恰当的图像元素能够为文章增添亮点，让内容更加引人入胜，从而吸引更多的读者点击、阅读和分享。

AI 强大的图像生成能力让许多人对这个领域充满无限遐想。通过简单的文本描述或者上传参考图，AI 可以快速生成符合特定主题、风格和需求的图片效果，这为运营者的图片内容创作提供了极大的便利。

本节将以即梦 AI 为例，深入探讨如何利用 AI 技术创造引人注目的图像内容。从构图提示词到风格提示词，逐一解析如何运用恰当的提示词帮助运营者提升图片的美感、真实感、质感和个性化特征。

5.1.1 构图提示词，掌控生成布局

扫码看教学视频

构图是传统摄影创作中不可或缺的部分，它主要通过有意识地安排画面中的视觉元素来增强图片的感染力和吸引力。在 AI 绘画工具中使用构图提示词，如描述取景方式，可以增强画面的视觉效果，传达独特的观感和意义，创作出精美的图片。

例如，对称构图是指将被摄对象平分成两个或多个相等的部分，在画面中形成左右对称、上下对称或者对角线对称等不同形式，从而产生一种平衡和富有美感的画面效果，如图 5-1 所示。

图 5-1　对称构图的效果

再例如，微距构图是一种专门用于拍摄微小物体的构图方式，主要目的是尽

可能地展现主体的细节和纹理，赋予其更大的视觉冲击力。这种构图适用于拍摄花卉、小动物、美食或者生活中的小物品，效果如图 5-2 所示。

图 5-2　微距构图的效果

5.1.2　摄影提示词，提升摄影质感

扫码看教学视频

在使用 AI 绘画工具时，运营者需要输入一些与所需绘制画面相关的提示词或短语，以帮助 AI 模型更好地确定主题和激发创意，创作出符合需求的图片。

例如，焦距是指镜头的光学属性，表示从镜头到成像平面的距离，它会对照片的视角和放大倍率产生影响。35mm 是一种常见的标准焦距，视角接近人眼所见，适用于生成人像、风景、街景等 AI 摄影作品，效果如图 5-3 所示。

图 5-3　模拟 35mm 焦距生成的图片效果

再例如，曝光是指相机在拍摄过程中接收到的光线量，它由快门速度、光圈

大小和感光度 3 个要素共同决定，曝光可以影响图片的整体氛围和情感表达。恰当的曝光可以保证图片具有适当的亮度，使主体和细节清晰可见。

例如，利用 AI 绘画工具生成钻石图片时，可以添加“过曝”“曝光补偿”等提示词，确保主体和细节在黑暗环境中得到恰当的曝光，使主体在黑暗中更明亮、更清晰，效果如图 5-4 所示。

图 5-4　过曝图片效果

5.1.3　细节提示词，完善生成细节

扫码看教学视频

光纤与色调都是 AI 绘画中非常重要的细节元素，它们可以呈现出很强的视觉吸引力，传达出运营者想要表达的情感。

例如，侧光是指从主体的左侧或右侧射来的光线，能够形成明显的明暗对比。在 AI 绘画工具中，使用提示词“侧光”可以营造出强烈的视觉层次感和立体感，让物体轮廓更加分明、清晰，效果如图 5-5 所示。

图 5-5　侧光效果

再例如，糖果色调是一种鲜艳、明亮的色调，常用于营造轻松、欢快和甜美的氛围感。在 AI 绘画工具中，提示词“糖果色调”非常适合用于生成建筑、街景、儿童、食品、花卉等类型的图片，效果如图 5-6 所示。

图 5-6 糖果色调效果

5.1.4 风格提示词，定义生成风格

扫码看教学视频

在 AI 绘画工具中使用风格提示词，描述创意和艺术形式，可以让生成的图片更具有美学风格和个性。

例如，极简主义是一种强调简洁、减少冗余元素的艺术风格，旨在通过精简的形式和结构来表现事物的本质和内在联系，让画面更加简洁，效果如图 5-7 所示。在 AI 绘画工具中，极简主义风格的提示词包括：简单、简洁的线条、极简色彩、负空间、极简静物。

图 5-7 极简主义风格的图片效果

再例如，印象主义是一种强调情感表达和氛围感受的艺术风格，通常具有柔和、温暖的色彩和光线，在构图时注重景深和镜头虚化等视觉效果，以创造出柔和、流动的画面感，从而传递给用户特定的氛围和情绪，效果如图 5-8 所示。

图 5-8　印象主义风格的图片效果

5.1.5　出图提示词，优化生成效果

扫码看教学视频

在使用 AI 绘画工具绘制图片时，运营者可以输入一些出图指令和提示词，描述图片的品质和渲染类型，以更好地激发 AI 创意。

例如，在即梦 AI 中除了添加提示词外，还可以设置图片比例（如 1：1），更改生成图像的宽高比，让 AI 生成方图，效果如图 5-9 所示。

图 5-9　生成的方图效果

再例如，使用提示词“8K 分辨率”，可以让 AI 绘画作品呈现出更为清晰流畅、真实自然的画面效果，并为用户带来更好的视觉体验。

在提示词“8K 分辨率”中，8K 表示分辨率高达 7680 像素 ×4320 像素的超高清晰度，分辨率则用于再次强调高分辨率，从而让画面有较高的细节表现能力和视觉冲击力。使用提示词“8K 分辨率”生成的图片效果如图 5-10 所示。

图 5-10　添加提示词“8K 分辨率”生成的图片效果

再例如，“超清晰 / 超高清晰”这组提示词，能够为 AI 绘画作品带来超越高清的极致画质和更加清晰、真实、自然的视觉感受。

使用提示词“超高清晰”，不仅可以让图片呈现出非常锐利、清晰和精细的效果，还能细致入微地展现出更多的细节和纹理，效果如图 5-11 所示。

图 5-11　添加提示词“超高清晰”生成的图片效果

5.2 通过DeepSeek提升图片质量，打造精品图片

DeepSeek 强大的自然语言生成能力可以对图片提示词进行生成与优化，旨在让 AI 生成更精美的图片内容。运营者需要在 DeepSeek 中输入图片要求，让它生成相关图片提示词，接着，将提示词复制到支持文生图的 AI 工具中，即可生成符合要求的精美图片。

要想生成精美的图片，首先需要准备高质量的提示词，本节将介绍用 DeepSeek 优化图片提示词的提问技巧，从而提升图片质量，打造精品图片。

5.2.1 增强图片细节表现，打造精品

扫码看教学视频

DeepSeek 能够精准理解和处理提示词，并对其进行优化，从而提升提示词的质量。运营者可以先明确自身需求，例如期望生成的图片风格、主题、细节等，然后将这些需求以文字形式输入 DeepSeek，DeepSeek 会据此生成精准的提示词，相关案例如下。

提示词

我要制作一幅关于中秋节的宣传海报，结合赏月、吃月饼的习俗，细化海报的具体内容，旨在增强图片细节表现，打造精品宣传海报，重新生成一组完整的提示词。

DeepSeek

中秋节宣传海报提示词（增强细节版）

1. 主题

花好月圆夜，浓情中秋节

2. 场景

（1）时间：皓月当空，繁星点点，夜色静谧（可加入萤火虫、孔明灯等元素增强氛围）

（2）地点：古色古香的庭院/高楼林立的现代都市天台/宁静的湖边草地（根据目标受众选择）

（3）人物：一家老少/三五好友/甜蜜情侣（展现不同群体的中秋团聚）

3. 元素

（1）月亮：一轮圆月高悬，月光皎洁，可加入玉兔、桂树、嫦娥等传说元素

（2）月饼：精致的月饼摆盘，种类丰富（广式、苏式、冰皮等），可加入月饼制作过程或食材特写

……

5.2.2　提升图片色彩表现力，赋予生命力

扫码看教学视频

DeepSeek强大的自然语言生成功能，能够帮助运营者提升图片的色彩表现力并为其注入生命力。运营者只需提出自己的创作需求，DeepSeek就能生成精准且高质量的提示词，这些提示词可以引导AI生成具有丰富细节和生动色彩的图片。

经DeepSeek优化后的提示词可以让图片更具视觉冲击力和艺术感染力，增添图片的吸引力，相关案例如下。

提示词

请对“沙滩上的少女”这个提示词进行优化，需要提升图片的色彩表现力，赋予生命力。

DeepSeek

优化后的提示词：“阳光明媚的沙滩上，身穿鲜艳长裙的少女，海风轻拂她的长发，碧蓝的海水与金色的沙滩交相辉映，充满活力的夏日场景”。

优化说明

1. 提升色彩表现力：加入“阳光明媚”“鲜艳长裙”“碧蓝的海水”“金色的沙滩”等描述，增强画面的色彩对比和层次感。

2. 赋予生命力：通过“海风轻拂她的长发”“充满活力的夏日场景”等动态元素，让画面更具动感和情感。

3. 场景氛围：强调“夏日场景”，营造温暖、明亮的氛围，让画面更具吸引力。

5.2.3　创造独特色彩风格，树立品牌

扫码看教学视频

DeepSeek能够生成精准的图片提示词，辅助运营者打造具有独特色彩风格的图片。运营者可根据自身品牌定位，将相关需求发送给DeepSeek，DeepSeek会根据提供的信息生成包含色彩、风格、细节描述等元素的高质量提示词。这些提示词可用于AI绘图工具，生成符合品牌调性的图片，从而在视觉上树立独特的品牌形象，吸引用户关注并增强品牌记忆，相关案例如下。

提示词

生成一组香水产品的图片提示词，要求莫兰迪色系、精致、高级感，具有独特色彩风格。

DeepSeek

香水产品图片提示词（莫兰迪色系&高级感）

1. 场景

（1）简约风：莫兰迪灰白色大理石台面，精致香水瓶置于中央，背景虚化，柔和自然

光照射，营造静谧高级氛围。
（2）复古风：做旧木质梳妆台，摆放着复古香水瓶，旁边散落着干花和羽毛，暖黄色灯光营造温馨浪漫氛围。
（3）自然风：清晨阳光透过薄纱窗帘洒进房间，香水瓶静静伫立在窗台，旁边摆放着绿植和鲜花，清新自然。
2. 香水瓶
（1）材质：磨砂玻璃瓶身，哑光金属瓶盖，质感高级。
（2）颜色：莫兰迪色系，例如雾霾蓝、豆沙粉、灰绿色、燕麦色等，低调优雅。
（3）造型：简约流畅的线条或复古精致的雕花，彰显独特品位。
……

5.2.4 提升图片整体效果，呈现最佳状态

扫码看教学视频

运营者可以借助 DeepSeek 的文本优化能力，输入简单的描述，由 DeepSeek 生成更精准、更具艺术感的图片提示词，从而有效提升图片的整体效果。

此外，DeepSeek 还能根据需求生成不同风格的提示词，比如水墨画、3D 卡通等，帮助运营者快速制作出吸引人的图片，提升内容的视觉效果，相关案例如下。

提示词

图片风格为“水墨画”，以花鸟为主题，突出花鸟的灵动与生机，画面生动活泼，充满自然气息，对提示词进行优化处理，生成一组完整的提示词，旨在提升图片整体效果。

DeepSeek

水墨画花鸟主题提示词
1. 核心元素
（1）主题：花鸟
（2）风格：水墨画
（3）氛围：灵动、生机、自然、活泼
2. 画面细节
（1）花卉种类：梅花、兰花、竹子、菊花、荷花、牡丹、桃花、樱花等（可选择一种或多种）
花卉形态：含苞待放、盛开、凋零、随风摇曳、枝头独立等
花卉细节：花瓣纹理、花蕊细节、枝叶脉络等
（2）鸟类：
……

5.3 DeepSeek助力图片生成，多种类型全覆盖

在数字化时代，AI 绘画工具正以其独特的魅力和创新能力，重塑着图片内容创作的方式。本节将带领大家深入探索如何运用即梦 AI 以及 DeepSeek-R1 模式，为运营者创造出令人惊叹的视觉效果，提升内容生产效率。

5.3.1 产品图，提升展示效果

扫码看教学视频

【效果展示】产品类型的图片是用创意呈现产品的视觉效果，这类作品形式多样、风格各异，涵盖科技产品、时尚服饰、美食饮品等多个领域。这些图片往往通过独特的构图、鲜明的色彩搭配，以及巧妙的光影运用，将产品特性与品牌理念完美融合，成为吸引目标用户的有力视觉焦点，效果如图 5-12 所示。

图 5-12 效果展示

下面介绍使用即梦 AI 制作产品图的操作方法。

步骤 01 打开即梦 AI，进入“灵感”界面，点击“想象”按钮，如图 5-13 所示，进行界面的切换。

步骤 02 进入“想象”界面，点击“DeepSeek-R1”按钮，如图 5-14 所示。

步骤 03 进入 DeepSeek-R1 对话界面，在界面下方的输入框中，❶ 输入相应的提示词；❷ 点击发送按钮，如图 5-15 所示，发送提示词。

图 5-13　点击"想象"按钮

图 5-14　点击"DeepSeek-R1"按钮

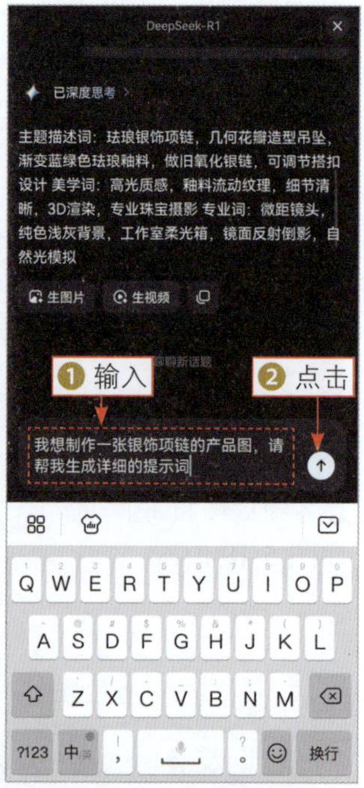

图 5-15　发送提示词

步骤 04 执行操作后，即可生成相应的文本，点击"生图片"按钮，如图 5-16 所示。

步骤 05 回到"想象"界面，❶输入框中会自动填充刚刚生成的文本；❷点击调整按钮☰，如图 5-17 所示。

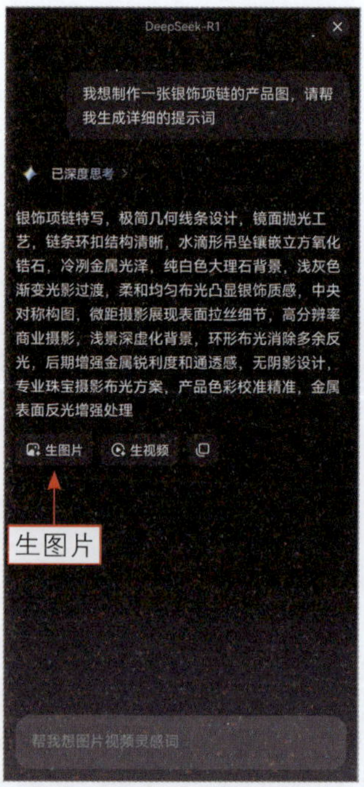

图 5-16　点击"生图片"按钮

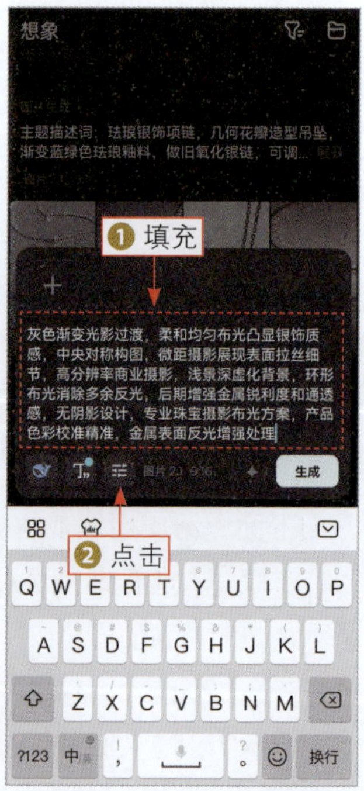

图 5-17　点击相应按钮

步骤 06 弹出相应面板，❶选择比例为3∶4，调整图片尺寸；❷点击“生成”按钮，如图5-18所示。

步骤 07 稍等片刻，❶即梦AI会生成4张产品图片；❷选择第1张图片，如图5-19所示。

图5-18　点击“生成”按钮

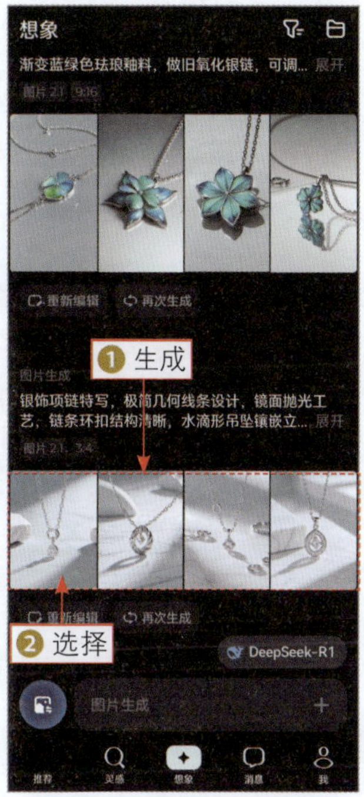

图5-19　选择第1张图片

步骤 08 执行操作后，即可放大图片，在图片下方点击保存按钮，如图5-20所示。

步骤 09 弹出相应面板，点击“保存到本地”按钮，如图5-21所示，即可将图片保存至本地相册中。

图5-20　放大并保存图片

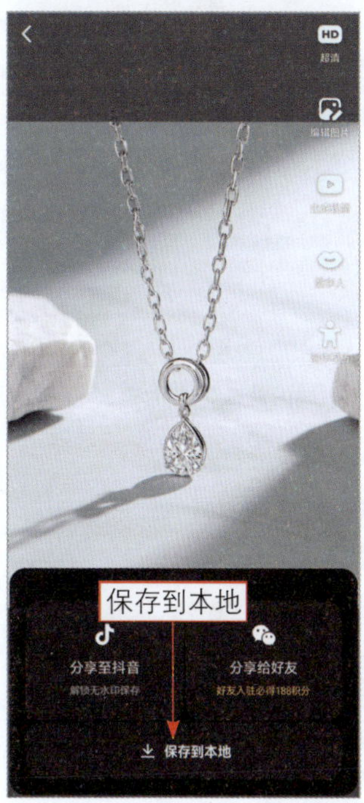

图5-21　点击“保存到本地”按钮

5.3.2 海报图，创作视觉焦点

扫码看教学视频

【效果展示】海报类型的图片可以呈现出创意十足的视觉冲击力，通过精心设计的元素布局与色彩搭配，展现出独特、引人注目的画面效果，让信息传达变得生动而富有感染力，效果如图 5-22 所示。

图 5-22 效果展示

下面介绍使用即梦 AI 制作海报图的操作方法。

步骤 01 打开即梦 AI，进入“想象”界面，点击“DeepSeek-R1”按钮，如图 5-23 所示。

步骤 02 进入 DeepSeek-R1 对话界面，在下方的输入框中，❶输入提示词；❷点击发送按钮，如图 5-24 所示，发送提示词。

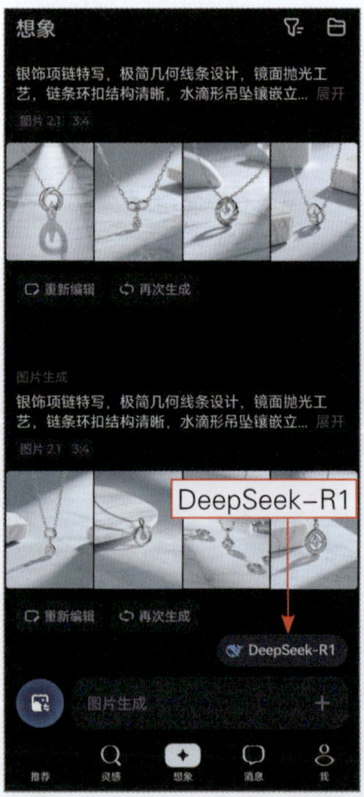

图 5-23 点击“DeepSeek-R1”按钮

图 5-24 发送提示词

步骤 03 执行操作后即可生成相应的文本，点击“生图片”按钮，如图 5-25 所示。

步骤 04 返回到“想象”界面，❶输入框中会自动填充刚刚生成的文本；❷点击调整按钮☰，如图 5-26 所示。

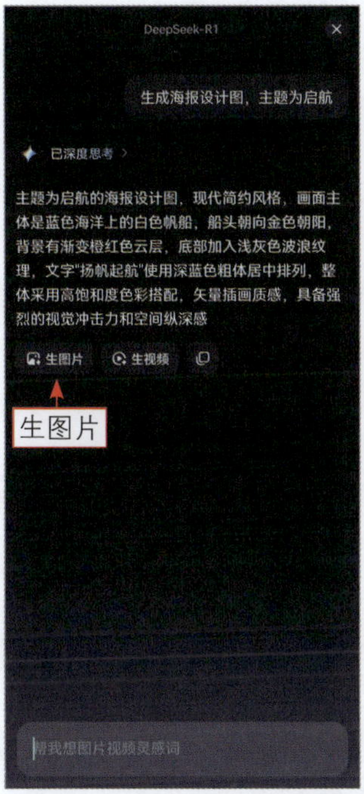

图 5-25　点击“生图片”按钮

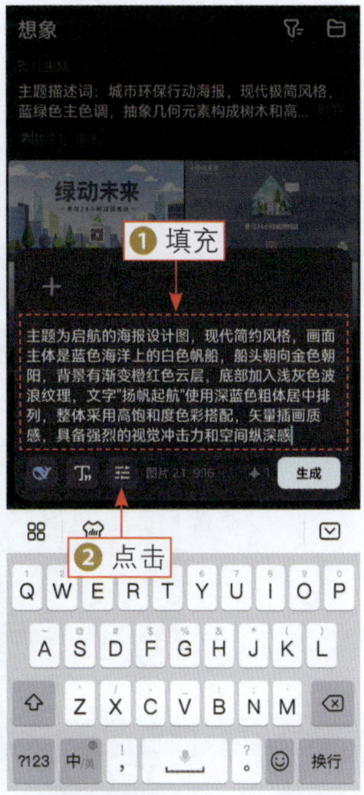

图 5-26　点击相应按钮

步骤 05 弹出相应面板，❶选择比例为 16∶9，调整图片尺寸；❷点击“生成”按钮，如图 5-27 所示。

步骤 06 稍等片刻，即可生成 4 张海报图片，如图 5-28 所示。

图 5-27　点击“生成”按钮

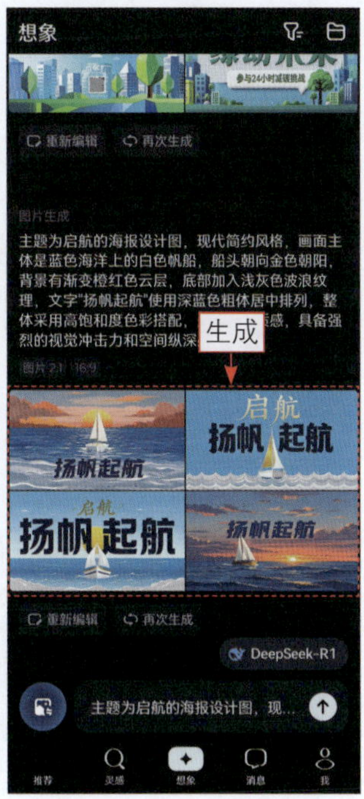

图 5-28　生成 4 张海报图片

5.3.3 节日主题图，营造节日氛围

扫码看教学视频

【效果展示】在设计节日主题图时，色彩是营造氛围的关键。例如，端午节的主题图往往有着丰富的传统元素和色彩搭配，画面中常常出现赛龙舟、粽子等经典元素，搭配寓意生机与健康的绿色，展现了端午节的传统韵味，效果如图 5-29 所示。

图 5-29 效果展示

下面介绍使用即梦 AI 制作节日主题图的操作方法。

步骤 01 打开即梦 AI，进入“想象”界面，点击界面中的“DeepSeek-R1”按钮，如图 5-30 所示。

步骤 02 进入 DeepSeek-R1 对话界面，在下方的输入框中，❶ 输入相应的提示词；❷ 点击发送按钮，如图 5-31 所示，发送提示词。

步骤 03 执行操作后，系统即可生成相应的文本，点击“生图片”按钮，如图 5-32 所示。

步骤 04 回到“想象”界面，❶ 输入框中会自动填充刚刚生成的文本；❷ 点击调整按钮，如图 5-33 所示。

步骤 05 弹出相应面板，❶ 选择比例为 3：4，调整图片尺寸；❷ 点击“生成”按钮，如图 5-34 所示。

步骤 06 稍等片刻，即可生成 4 张节日主题图片，如图 5-35 所示。

☆ 专家提醒

运营者制作节日主题图时，最关键的是将传统文化元素与色彩巧妙结合，这一做法既能迅速激起人们对节日的联想，又使设计兼具文化独特性。

图 5-30　点击“DeepSeek-R1”按钮

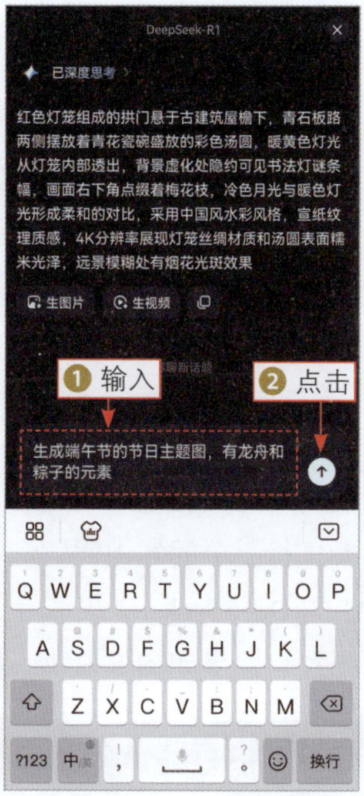

图 5-31　发送提示词

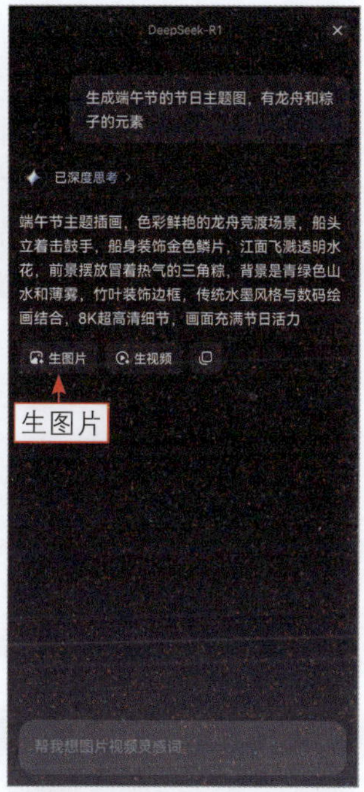

图 5-32　点击“生图片”按钮

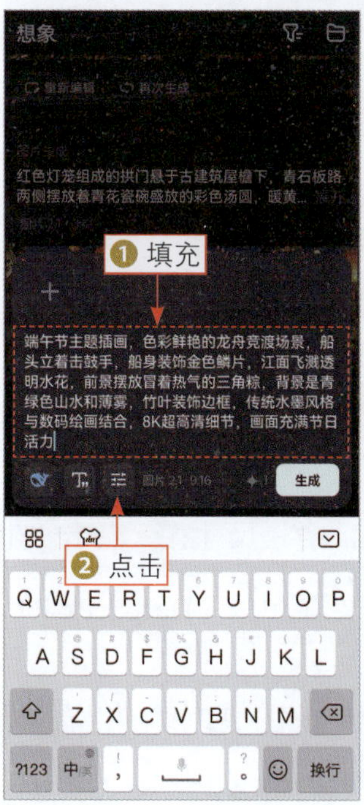

图 5-33　点击相应按钮

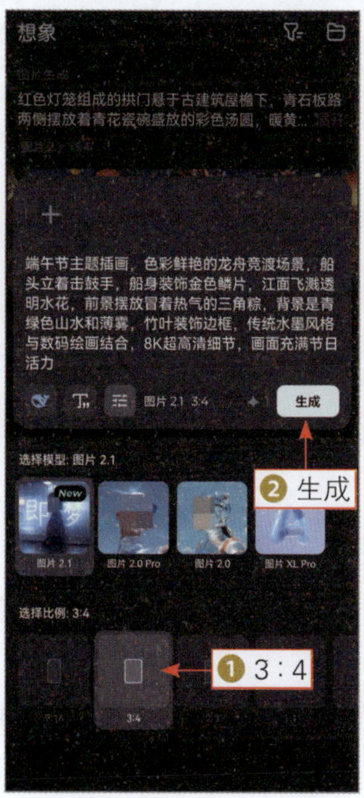

图 5-34　点击“生成”按钮

图 5-35　生成 4 张节日主题图片

5.4 本章小结

本章首先介绍了 AI 图片生成的提示词技巧；然后介绍了使用 DeepSeek 提升图片质量，打造精品图片的 4 种案例；最后介绍了用即梦 AI 中的 DeepSeek-R1 模式助力图片生成的操作方法。

5.5 课后实训

鉴于本章知识的重要性，为了帮助读者更好地掌握所学知识，本节将通过课后实训，帮助读者进行简单的知识回顾和补充。

扫码看教学视频

实训任务：利用即梦 AI 的 DeepSeek-R1 模式生成提示词，并根据生成的提示词来制作产品图片，效果如图 5-36 所示。

图 5-36 效果展示

下面介绍使用即梦 AI 制作产品图的操作方法。

步骤 01 打开即梦 AI，进入“想象”界面，点击界面中的“DeepSeek-R1”按钮，如图 5-37 所示。

步骤 02 进入 DeepSeek-R1 对话界面，在下方的输入框中，❶ 输入相应的提示词；❷ 点击发送按钮，如图 5-38 所示，发送提示词。

步骤 03 执行操作后，生成相应的文本，点击“生图片”按钮，如图 5-39 所示。

图 5-37　点击“DeepSeek-R1”按钮

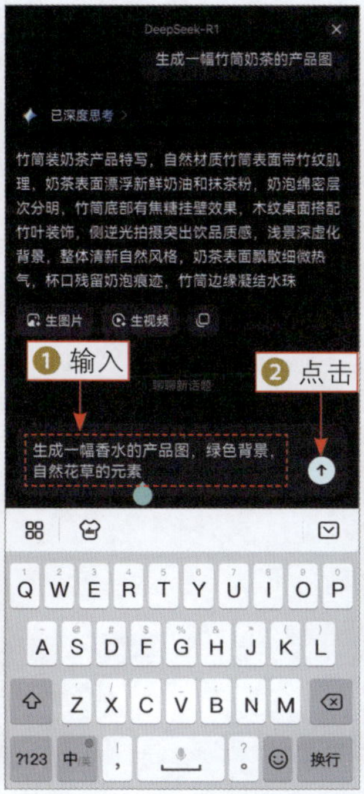

图 5-38　发送提示词

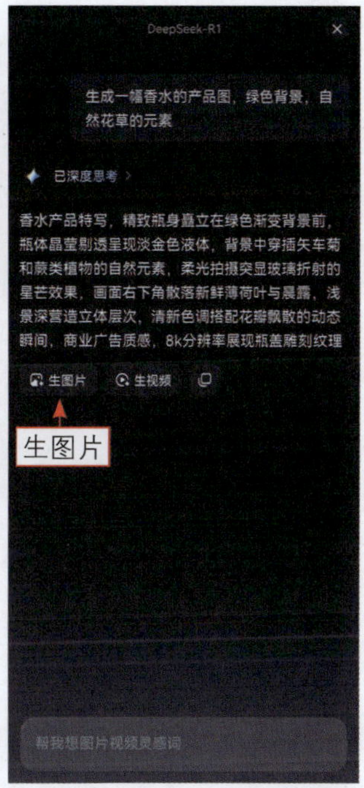

图 5-39　点击“生图片”按钮

步骤04 回到“想象”界面，❶输入框中会自动填充刚生成的文本；❷点击“生成”按钮，如图5-40所示。

步骤05 稍等片刻，即可生成4张产品图片，如图5-41所示。

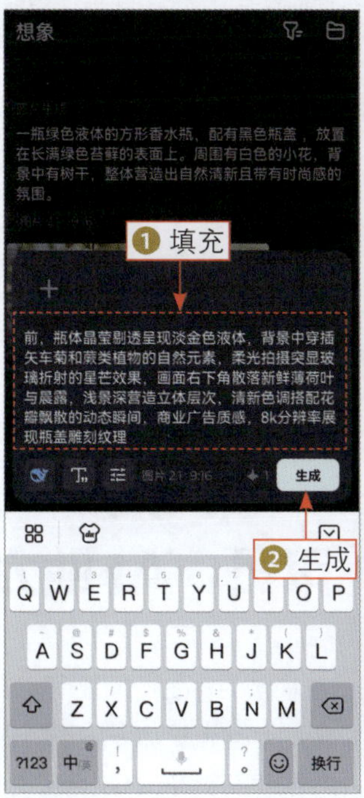

图 5-40　点击“生成”按钮

图 5-41　生成4张产品图片

第 6 章
DeepSeek ＋可灵，AI 助力视频制作不求人

AI 辅助视频创作，不仅提升了视频内容生产的效率，让视频制作变得更加便捷和智能，同时也丰富了创意表达的维度，帮助运营者更加专注于内容的创意和深度。本章将着重介绍如何运用 DeepSeek 激发视频创作的灵感火花，并结合可灵 AI 快速打造出高质量的视频作品。

6.1　AI视频生成的提示词技巧，掌控生成方向

AI 视频生成工具，为运营者提供了无限的创作可能性。为了充分发挥其创作潜力，精心构思并编写既精准又充满想象力的提示词，成了不可或缺的关键步骤。

本节将介绍 AI 视频生成的提示词技巧，旨在助力运营者更加精准、高效地利用 AI 视频生成工具，创作出既符合自身需求又能够吸引大量用户的视频内容。

6.1.1　精确定义视频内容要素，掌控生成方向

扫码看教学视频

在使用 AI 生成视频时，编写明确且具体的提示词对于生成符合预期的视频内容至关重要。为了确保模型能够准确捕捉运营者的意图并生成相应的视频，运营者需要在提示词中明确描述自己想要的视频元素，如视频主体、环境、运镜等。

例如，下面这个视频的提示词成功地定义了视频的内容要素，“一只戴着墨镜坐在沙发上的小猫”，这样的描述为 AI 视频生成工具提供了足够明确的信息，从而让它生成符合提示词预期的视频内容，相关示例如图 6-1 所示。

图 6-1　相关示例（1）

6.1.2　深入描绘场景特征，丰富生成细节

扫码看教学视频

提供给 AI 视频生成工具的提示词应尽可能地详细描述场景的每个细节，包括颜色、光线、纹理等。

例如，下面这个视频的提示词成功地描绘了一个生动的场景“薄荷绿的海浪

拍打着金色的沙滩，棕榈树在海岸边，微风吹动棕榈树的叶子”，相关示例如图 6-2 所示。

图 6-2　相关示例（2）

6.1.3　巧妙运用提示词，突破创作边界

扫码看教学视频

AI 视频生成工具鼓励运营者发挥创造力，在提示词中尝试新的组合和创意以激发模型的想象力，生成非常有趣的视频效果。

例如，在下面这个视频的提示词中，“天上乌云密布，狂风暴雨，湍急的水流在岩石间翻涌，粗壮的树枝上，朵朵粉红色的花朵热烈绽放”，这段提示词充满了创意和想象力，鼓励 AI 创造一个全新的场景，相关示例如图 6-3 所示。

图 6-3　相关示例（3）

实际上，这样复杂的提示词对于 AI 而言无疑是一个挑战，因为它不仅要求模型能够深入理解并融合多个不同元素，还要在整合过程中保持逻辑上的连贯性和视觉上的和谐统一。

然而，这种挑战也为 AI 模型提供了发挥创造力的机会，鼓励它生成更加独特和有趣的视频内容，为用户带来全新的视觉享受。

6.1.4　打造引人入胜的角色与故事，塑造灵魂

扫码看教学视频

在编写 AI 视频生成工具的提示词时，运营者可以构思一些引人入胜的角色和情节。一个吸引人的视频往往围绕着有趣、独特且情感丰富的角色展开，这些角色在精心设计的情节中展现出各自的魅力和故事，相关示例如图 6-4 所示。

图 6-4　相关示例（4）

在上图中可以看到，“在一个风和日丽的午后，巨大的海浪席卷而来，一名冲浪者踏着冲浪板，熟练地驾驭着海浪”，这段提示词构思了一个刺激而具有冲击力的场景，其中包含了吸引人的角色和有趣的情节。

6.1.5　采用分步引导法，优化创作流程

扫码看教学视频

使用逐步引导的方式构建提示词，先描述整体场景和背景，再逐步引入主体、动作和情节，这种方式可以帮助 AI 视频生成工具更好地理解你的意图，并生成更加符合期望的视频内容，相关示例如图 6-5 所示。

图 6-5　相关示例（5）

在上图中可以看到，“在壮阔的冰天雪地里，冰雪消融，一股溪流顺流而下。静置在岩石上的蓝牙耳机缓缓亮相，镜头拉近向观众展示产品”，使用这种逐步引导的提示词可以帮助 AI 在生成视频时呈现出以上效果。

6.2 通过DeepSeek提升视频质量，打造爆款视频

DeepSeek 能够快速生成创意丰富、结构合理的视频脚本，并提供详细的分镜设计和视觉化建议。结合其他 AI 工具，如可灵 AI、即梦 AI 等，可将生成的提示词转化为高质量的画面素材，运营者可以高效产出专业级的视频内容，提升视频质量和吸引力，从而打造爆款视频。

本节将介绍使用 DeepSeek 生成视频提示词的技巧，从而提升视频质量，打造爆款视频。

6.2.1 丰富视频内容，拓展创作维度

扫码看教学视频

运营者可以利用 DeepSeek 来丰富视频内容、拓展创作维度。首先，借助 DeepSeek 挖掘热点话题和选题，结合自身赛道和账号定位提问，获取更具吸引力的选题；其次，利用 DeepSeek 生成视频文案和脚本，包括口播文案、分镜设计等，甚至可以要求生成不同风格的脚本以适配多平台；最后，让 DeepSeek 优化视频互动，生成个性化评论回复和直播话术。相关案例如下。

提示词

我要生成一个酸奶的广告视频，草莓味酸奶，原材料包括草莓、鲜牛奶等，请生成一个分镜设计的脚本，丰富视频的内容，让广告更深入人心。

DeepSeek

酸奶广告视频分镜脚本
产品名称：【酸奶品牌名称】草莓酸奶
目标受众：注重健康、追求美味、热爱生活的年轻人
广告主题：一口新鲜，活力满满
视频时长：15秒
音乐：轻快活泼的背景音乐
分镜设计：
场景一：清晨阳光下的草莓园（2秒）
画面：清晨的阳光洒在翠绿的草莓园，晶莹的露珠点缀在鲜红的草莓上，画面清新自然。
……

6.2.2 突出视频主体，强化核心信息

扫码看教学视频

运营者可以应用DeepSeek来突出视频主体和强化核心信息。利用DeepSeek生成视频脚本时，首先要明确核心信息和主体内容，通过详细标注分镜需求，如特写、全景、运镜方式等，确保画面聚焦于关键元素。然后，在生成画面描述时，强调主体和细节，优化提示词以获得更符合需求的画面效果。相关案例如下。

提示词

请生成一个视频脚本，主题为：平价好用的面霜。视频的分镜设计需要包含产品的成分讲解、面霜的上脸示范，画面聚焦于面霜的整体展示，强化核心信息。

DeepSeek

平价好用的面霜——视频脚本
目标受众：追求性价比的护肤爱好者
视频时长：1分钟
视频风格：简洁明快，信息清晰
分镜设计：
1. 开场（0:00—0:05）
画面：阳光明媚的早晨，女主角坐在梳妆台前，微笑着看向镜头。
画外音（轻快活泼）：还在为找不到平价好用的面霜而烦恼吗？
2. 产品展示（0:05—0:15）
画面：女主角拿起桌上的面霜，镜头特写产品包装，突出品牌logo（标志）和产品名称。
画外音：今天就来给大家推荐一款性价比超高的面霜——【产品名称】！
……

6.2.3 增强视频情感共鸣，提升影响力

扫码看教学视频

运营者可以利用DeepSeek增强视频情感共鸣、提升影响力。DeepSeek能够通过情感分析和用户数据洞察，精准定位受众的情感需求，帮助运营者在视频创作中融入更多触动人心的元素。

例如，DeepSeek可以通过"痛点场景＋解决方案＋情感共鸣"的内容结构公式，为视频脚本注入情感力量，让观众在观看中产生共鸣。此外，DeepSeek还能优化视频的标题和简介，使其更具吸引力，进一步提升视频的传播效果。相关案例如下。

提示词

视频脚本主题：健身减脂课程
1.痛点场景：上班族的日常，久坐、外卖、熬夜，脂肪悄悄堆积
2.解决方案：教练指导学员进行减脂训练
3.情感共鸣：学成归来在镜子前展示自己的身材
根据上面提供的信息，生成一个完整的视频脚本，增强视频情感共鸣，提升影响力

DeepSeek

健身减脂课程视频脚本
主题：告别油腻，重塑自信——上班族专属减脂计划
目标受众：忙碌的上班族，渴望改变身材、提升自信
视频时长：3～5分钟
视频风格：励志、真实、情感共鸣
开篇：痛点场景
（画面：清晨，闹钟响起，主角挣扎着起床，一脸疲惫）
画外音：
"每天重复着同样的生活：上班、加班、外卖、熬夜……"
（画面：主角挤地铁，人潮拥挤，表情麻木；坐在办公桌前，盯着电脑屏幕，手边放着奶茶和零食）
画外音：
……

6.3 DeepSeek助力视频生成，多种类型全覆盖

AI技术正以其独特的魅力，重塑着视频创作的生态。本节将带领读者着重探讨如何利用AI视频生成工具，实现视频的快速生成，并通过一系列实战案例，

展示如何运用 DeepSeek、可灵等 AI 工具，为运营者提供前所未有的便利，也为用户带来更加丰富多元的视觉享受。

6.3.1　宣传视频，创造动态焦点

扫码看教学视频

【效果展示】美食宣传视频作为一种生动且富有感染力的传播内容，能够将美食的色香味全方位呈现给观众。其中，创造动态焦点更是关键所在，它能够吸引观众的注意力，从而激发人们对美食的向往与追求，效果如图 6-6 所示。

图 6-6　效果展示

下面介绍使用可灵 AI 制作宣传视频的操作方法。

步骤 01 打开可灵 AI，进入首页，点击“文生视频”按钮，如图 6-7 所示。

步骤 02 进入相应界面，点击“DeepSeek-R1 灵感版”按钮，如图 6-8 所示。

步骤 03 进入“可灵 AI DeepSeek-R1 灵感版”界面，在下方的输入框中，❶ 输入提示词；❷ 点击发送按钮，如图 6-9 所示，发送提示词。

步骤 04 执行操作后，即可生成相应的文本，点击“使用提示词”按钮，如图 6-10 所示。

步骤 05 回到“文生视频”界面，输入框中会自动填充刚刚生成的文本，❶ 设置生成模式为“标准”，调整其他视频参数；❷ 点击“立即生成”按钮，如图 6-11 所示。

步骤 06 稍等片刻，即可生成对应的视频，如图 6-12 所示。

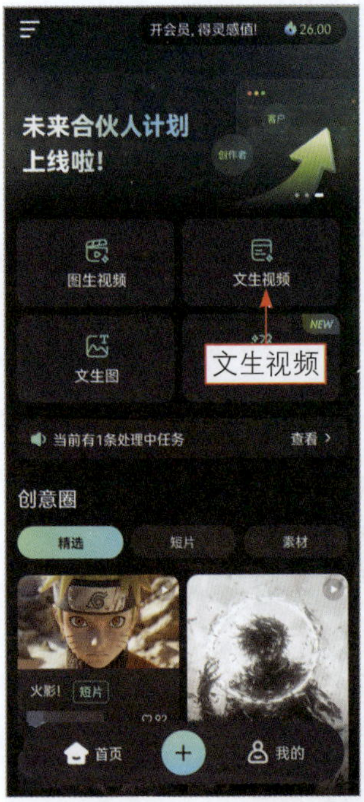

图 6-7　点击“文生视频”按钮

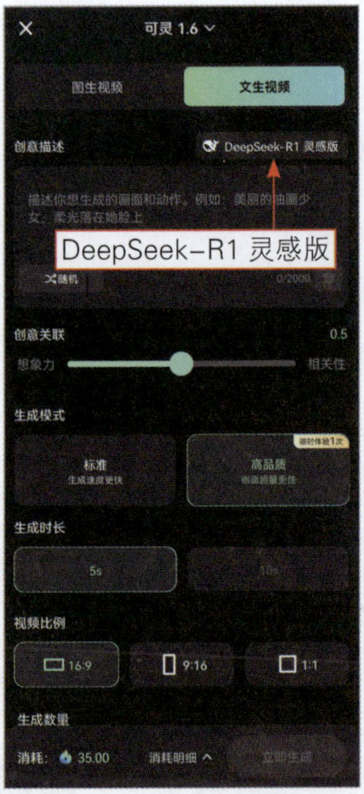

图 6-8　点击“DeepSeek-R1 灵感版”按钮

图 6-9　发送提示词

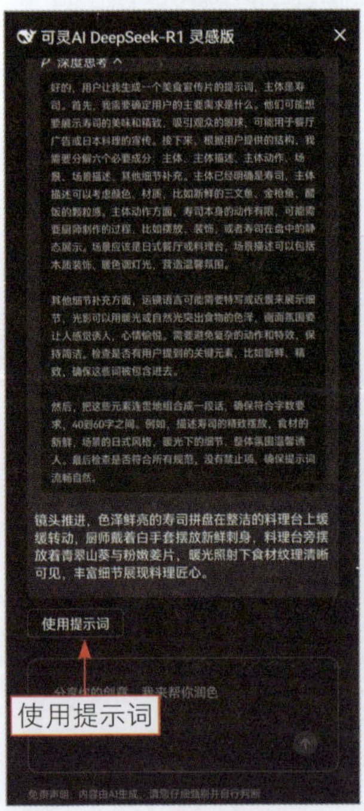

图 6-10　点击“使用提示词”按钮

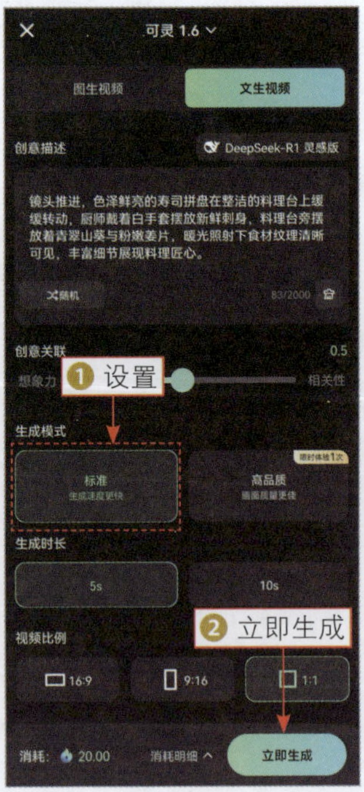

图 6-11　点击“立即生成”按钮

图 6-12　生成对应的视频

6.3.2　产品视频，展示产品魅力

扫码看教学视频

【效果展示】一段精心制作的产品视频，能够以生动直观的画面，全方位展现产品的细节与优势，让观众在短时间内领略其非凡之处，进而激发观众的购买欲望，效果如图 6-13 所示。

图 6-13　效果展示

下面介绍使用可灵 AI 制作产品视频的操作方法。

步骤 01 打开可灵 AI，进入“文生视频”界面，点击“DeepSeek-R1 灵感版”按钮，如图 6-14 所示。

步骤 02 进入“可灵 AI DeepSeek-R1 灵感版”界面，❶在下方的输入框中输入提示词；❷点击发送按钮，如图 6-15 所示，发送提示词。

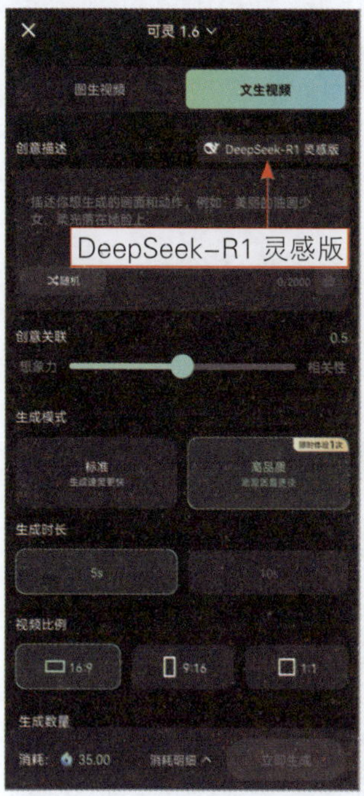

图 6-14　点击“DeepSeek-R1 灵感版”按钮

图 6-15　发送提示词

步骤 03 执行操作后，即可生成相应的文本，点击“使用提示词”按钮，如图 6-16 所示。

步骤 04 回到“文生视频”界面，输入框中会自动填充刚刚生成的文本，❶设置生成模式为“标准”、视频比例为 16∶9，调整视频参数；❷点击“立即生成”按钮，如图 6-17 所示。

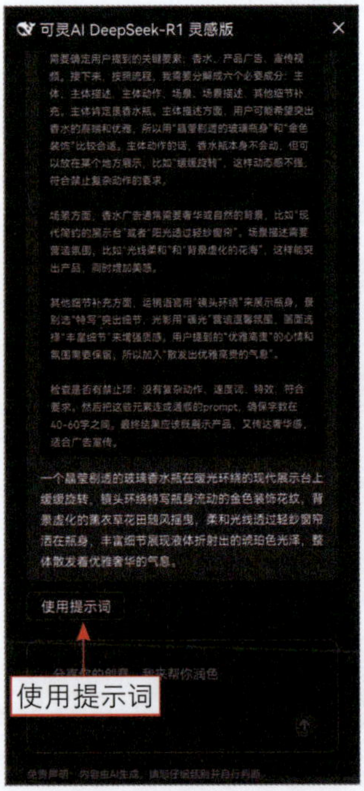

图 6-16　点击“使用提示词”按钮

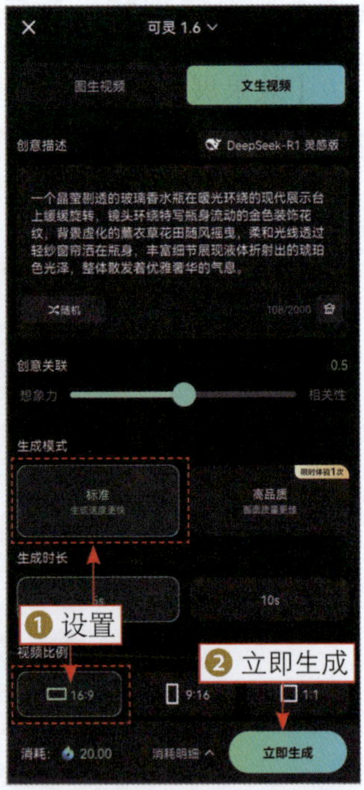

图 6-17　点击“立即生成”按钮

步骤 05 稍等片刻，即可生成对应的视频，点击下载按钮，如图 6-18 所示。

步骤 06 弹出相应面板，选择“有水印下载”选项，如图 6-19 所示，即可将视频保存至本地相册中。

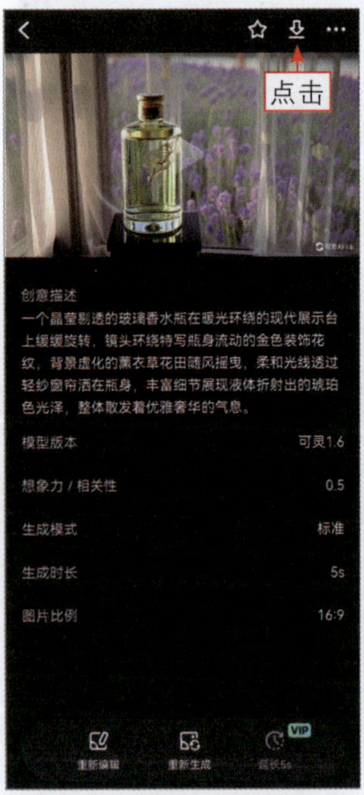

图 6-18　点击下载按钮

图 6-19　选择“有水印下载”选项

6.3.3　人像视频，捕捉人物神韵

扫码看教学视频

【效果展示】人像视频作为一种重要的视觉表达形式，具有广泛的应用价值。通过捕捉人物神韵，人像视频能够生动展现人物的个性与情感，被广泛应用于影视制作、电商产品宣传、企业形象宣传等场景，效果如图 6-20 所示。

图 6-20　效果展示

下面介绍使用可灵 AI 制作人像视频的操作方法。

步骤 01 打开可灵 AI，进入首页，点击"文生视频"按钮，如图 6-21 所示。

步骤 02 进入相应界面，点击"DeepSeek-R1 灵感版"按钮，如图 6-22 所示。

步骤 03 进入"可灵 AI DeepSeek-R1 灵感版"界面，❶ 在下方的输入框中，输入提示词；❷ 点击发送按钮，如图 6-23 所示，发送提示词。

步骤 04 执行操作后，即可生成相应的文本，点击"使用提示词"按钮，如图 6-24 所示。

步骤 05 回到"文生视频"界面，输入框中会自动填充刚刚生成的文本，❶ 设置生成模式为"标准"、视频比例为 9∶16，调整视频参数；❷ 点击"立即生成"按钮，如图 6-25 所示。

步骤 06 稍等片刻，即可生成对应的视频，如图 6-26 所示。

☆ 专家提醒

运营者在使用可灵 AI 生视频时，可以通过切换生成模式来控制视频生成的时长，其中"标准"模式生成的速度更快；而"高品质"模式生成的质量更好。

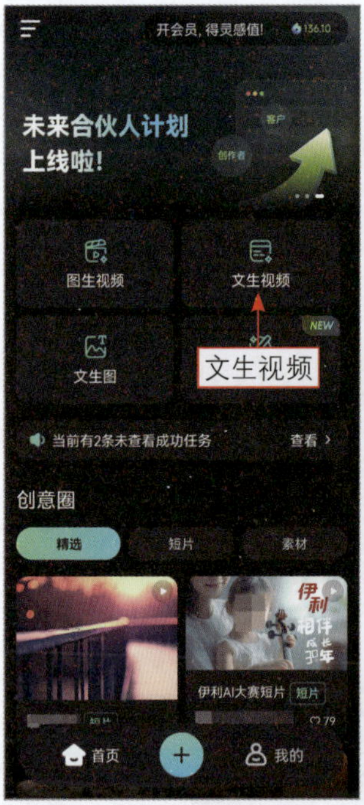

图 6-21　点击“文生视频”按钮

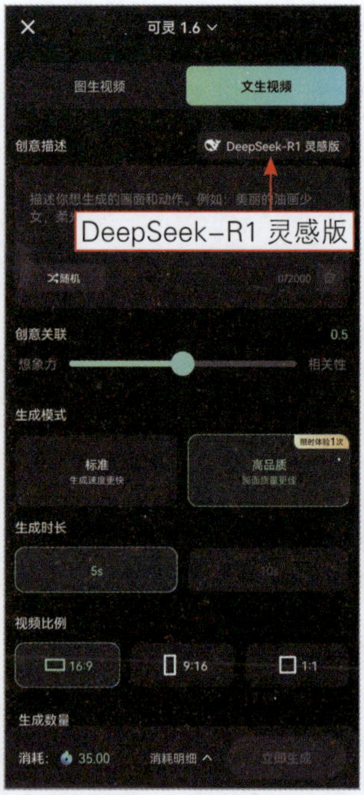

图 6-22　点击相应按钮

图 6-23　发送提示词

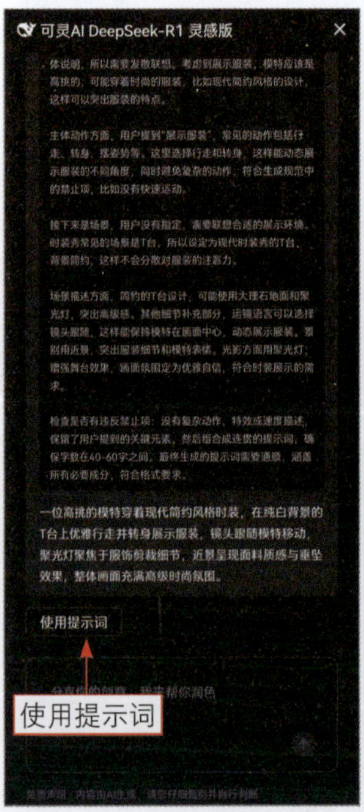

图 6-24　点击“使用提示词”按钮

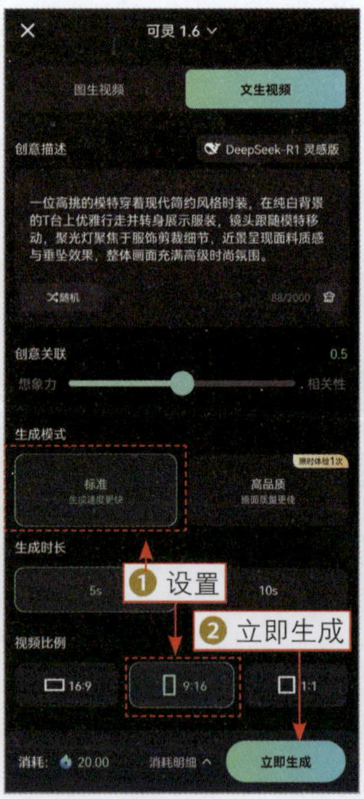

图 6-25　点击“立即生成”按钮

图 6-26　生成对应的视频

6.4 本章小结

本章首先介绍了 AI 视频生成的提示词技巧，包括精确定义视频内容要素、深入描绘场景特征、巧妙运用提示词以及打造引人入胜的角色与故事等。然后介绍了通过 DeepSeek 提升视频质量的方法，如丰富视频内容、突出视频主体、增强视频情感共鸣，以此打造爆款视频。最后阐述了 DeepSeek 助力视频生成的多种类型，涵盖宣传视频、产品视频、人像视频等，实现不同类型视频的高效创作。

6.5 课后实训

扫码看教学视频

鉴于本章知识的重要性，为了帮助读者更好地掌握所学知识，本节将通过课后实训，帮助读者进行简单的知识回顾和补充。

实训任务：利用 DeepSeek 生成一篇以“花露水”为主体的广告视频脚本，相关案例如下。

提示词

生成一篇以“花露水”为主体的广告视频脚本，针对产品功效进行介绍，200字左右。

DeepSeek

【广告视频脚本：花露水·随身清新小管家】
（开场：阳光明媚的夏日庭院，蚊虫萦绕，女主角皱眉抓挠手臂红肿处。）
旁白（轻快）：“夏日烦恼，一瓶解决！”
（画面切换：女主角喷洒花露水，透明水雾在阳光下折射微光，蚊虫四散飞离。）
特效字幕：「驱蚊防护·草本安心」
（转场：露营场景，男孩奔跑跌倒，膝盖擦伤。父亲用花露水轻拭伤口。）
旁白（温和）：“天然金银花精华，快速止痒，温和不刺激。”
镜头特写：红肿迅速消退，男孩露出笑容。
（场景切换：办公室内，白领轻嗅瓶口深呼吸，精神一振。）
动态字幕：「提神醒脑·净化空气」
……

【平台篇】

第 7 章 抖音、快手运营没思路？DeepSeek 来指路

从 DeepSeek 赋能抖音和快手两大平台，提升账号权重的基础操作，到助力抖音运营挖掘热点、打造爆款，再到助力快手运营挖掘乡村特色、弘扬传统文化的独特路径，本章旨在帮助运营者利用 DeepSeek 来解锁流量密码，优化运营时机，增强账号影响力，最终实现商业与文化价值的双重提升。

7.1 DeepSeek赋能抖音、快手，提升账号权重

本节将深入探讨如何利用 DeepSeek 提升账号权重，从平台基础到发布时机，从互动优化到账号定位，全方位解锁流量密码，助力运营者在短视频领域乘风破浪，最终实现销量的飞跃与影响力的质变。

7.1.1 抖音平台基础，解锁流量密码

扫码看教学视频

抖音平台是一个专注于短视频分享的社会化媒体平台，用户可以在此观看、创作和分享短视频内容。该平台由字节跳动公司开发和运营，自推出以来，迅速在全球范围内获得了广泛的用户群体，特别是在年轻人中极受欢迎。

在抖音平台上，用户可以浏览各种类别的短视频和直播，包括音乐、舞蹈、美食、旅行、科技、教育等。另外，许多知名人士、企业、机构和组织也都在抖音上开设了账号，用于推广品牌、分享知识和娱乐内容。

除了观看视频和直播之外，用户还可以参与各种互动活动，如点赞、评论、转发和关注其他用户。这些互动行为不仅有助于用户建立社交关系，还能提高视频的曝光度和影响力。

抖音的内容创作涉及多个方面，运营者可以根据自己的特长和兴趣，选择合适的赛道进行内容的创作。图 7-1 所示为抖音内容创作的主要领域。

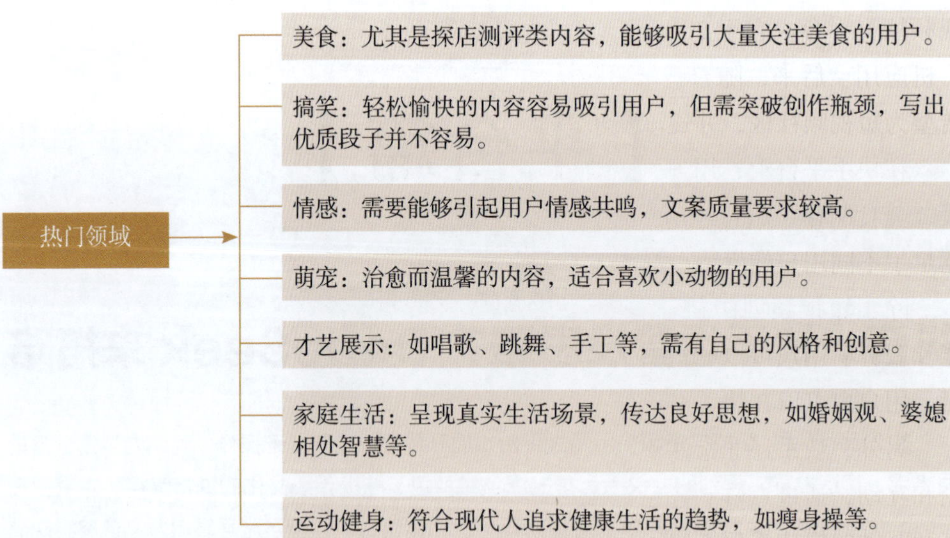

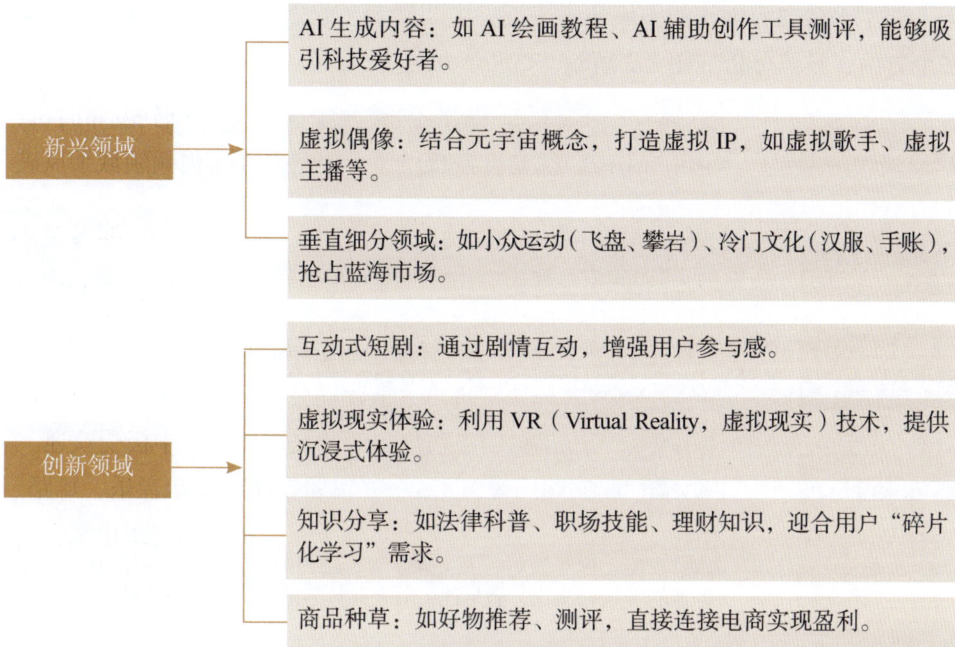

图7-1 抖音内容创作的主要领域

7.1.2 快手平台基础，打造热门视频

扫码看教学视频

快手平台，全称为快手短视频平台，是一个记录和分享生活的短视频社交平台。它于2011年3月上线，最初是一款用来制作、分享GIF图片的手机应用。后来，随着智能手机的普及和移动流量成本的下降，快手在2012年转型为短视频社区，并逐渐成了一个用户记录和分享生产、生活的平台。

在快手平台上，用户可以通过拍摄或上传短视频来展示自己的才艺、生活片段、美食制作、旅行经历等各种内容。这些视频内容涵盖了广泛的主题和领域，满足了不同用户的娱乐、学习和社交需求。

除了短视频创作和分享功能外，快手还提供了直播、电商、社交等多种功能和服务。用户可以通过直播与粉丝进行实时互动，分享自己的生活和才艺；同时，用户也可以在快手的电商平台上购买各种商品，享受便捷的购物体验。

另外，快手还非常注重社区文化和用户互动。它鼓励用户积极参与社区的讨论和互动，通过点赞、评论、转发等方式来表达自己的观点和喜好。这种用户参与和互动的模式不仅增强了社区的凝聚力和活跃度，也促进了用户之间的交流和分享。

快手平台内容创作的领域非常广泛，主要涵盖了娱乐、生活、知识、教育等多个方面，具体分析如图 7-2 所示。

搞笑与娱乐	搞笑段子、幽默视频、模仿秀等，这类内容轻松有趣，能够迅速吸引用户的注意力，是快手平台上非常受欢迎的内容类型。
才艺展示	音乐、舞蹈、歌唱、乐器演奏等才艺表演，这些视频能够展示运营者的才华和魅力，吸引粉丝的关注和喜爱。
美食制作与分享	烹饪教程、美食展示、餐厅探店等，这类内容能够激发用户的食欲和好奇心，引导他们尝试新的美食和烹饪方法。
时尚与美妆	穿搭分享、美妆教程、化妆品评测等，这些视频能够满足用户对时尚和美丽的追求，引导他们关注新的潮流趋势和产品。
旅行与风景	旅行攻略、风景展示、人文探索等，这类内容能够带领用户领略世界各地的美景和文化，满足他们对未知世界的好奇心和探索欲。
生活日常与情感	记录生活日常、分享情感故事、探讨人生哲理等，这类内容能够引起用户的共鸣和思考，帮助他们更好地理解和面对生活。
动漫与游戏	动漫角色扮演、游戏解说、游戏教程等，这类内容能够满足用户对动漫和游戏的热爱和追求，引导他们深入了解相关文化和技巧。
农村生活与三农	记录农村生活、展示农耕文化、分享农业知识等，这类内容能够展现农村的风土人情和生态环境，引导用户关注农村的发展。

图 7-2　快手平台内容创作的主要领域

7.1.3　分析最佳发布时间，优化运营时机

扫码看教学视频

DeepSeek 可以分析不同新媒体平台的用户活跃规律。例如，抖音用户在晚上 7 点到 10 点活跃度较高，适合发布娱乐、生活类视频。同时，DeepSeek 还能根据平台特点和用户偏好，为不同类型的内容推荐最佳发布时间。

另外，DeepSeek 还能够根据运营者提供的账号信息或数据，智能分析用户的行为数据，如浏览时间、点赞、评论、分享等，从而了解目标受众的上网习惯和活跃时间，为运营者提供更精准的发布时间建议，相关案例如下。

提示词

我是一名专注于分享美食制作内容的自媒体运营者，目前在抖音平台上发布作品，已积

累约2000名忠实粉丝。然而，我注意到在下午两点发布作品时，播放量和互动情况并不理想，播放量通常徘徊在几百次左右，点赞、评论和分享更是稀少。

请你担任自媒体运营专家，帮我分析哪个时段发布作品能够最大化地提升曝光率和互动率？同时，有哪些策略或技巧可以帮助我吸引更多粉丝，提高他们的参与度和忠诚度？

DeepSeek

根据你的情况（美食类内容创作者，粉丝约2000人，当前下午2点发布作品效果不佳），结合多篇搜索结果的综合分析，以下是优化发布时间与提升互动率的策略建议。

一、最佳发布时间选择

1. 工作日黄金时段

（1）早晨7:00—9:00：用户通勤时间，碎片化浏览需求高，适合发布简短、易消化的美食教程或早餐灵感。

（2）傍晚17:00—19:00：用户下班后放松时段，此时段发布内容易被算法推荐，互动率显著提升（如点赞、评论）。

2. 周末及节假日

（1）上午9:00—11:00：用户空闲时间较多，适合发布耗时较长的美食制作视频（如烘焙、大餐教程）。

（2）晚间20:00—22:00：家庭娱乐时间，用户消费力强，适合发布治愈系或亲子类美食内容。

……

7.1.4　优化互动方式，提升用户黏性

扫码看教学视频

DeepSeek 可以自动识别和理解评论内容，并根据预设的规则和模板，快速生成合适的回复。这不仅节省了运营者的时间和精力，还能保证回复的及时性和准确性，增强与粉丝之间的联系。

DeepSeek 还可以对评论进行情感分析，判断用户的情绪倾向，从而帮助运营者更好地把握粉丝的心理状态。例如，如果发现用户对某款产品的负面评价较多，运营者可以及时调整推广策略，或者针对用户反馈进行改进。

基于用户的行为数据和画像信息，DeepSeek 能够帮助运营者设计出不同级别的粉丝分层模型，并制订相应的运营策略。例如，对于核心粉丝，可以提供专属的福利和互动机会，如限量版产品、独家内容等；对于普通粉丝，可以通过互动引导和内容推荐，逐步提升其参与度和忠诚度。

另外，DeepSeek 还可以协助运营者构建一个活跃的粉丝群，通过举办互动交流、话题讨论、粉丝分享等活动，促进粉丝之间的交流和互动，相关案例如下。

提示词

请为一名在快手平台上专注于风景分享的自媒体运营者，设计一个详细的粉丝群建立与管理方案。考虑到风景分享的独特性和快手平台的特点，方案需涵盖以下关键方面。

1. 快手平台粉丝群创建与优化：详细说明在快手平台上如何创建风景分享主题的粉丝群，包括如何设置群名称、头像、简介等，以吸引同好者的加入。同时，探讨如何优化群设置，提升群内互动体验。

2. 群规则与风景分享社区准则：制订一套既符合快手社区准则又能体现风景分享特色的群规，鼓励分享高质量风景照片、视频，禁止发送广告、低俗内容等，确保群内氛围积极健康。

3. 快手平台内的推广与增长策略：提供一些策略，如何在快手平台内有效推广自己的风景分享粉丝群，吸引更多同好者加入，如利用快手热门话题、风景摄影圈子、合作推广等。

DeepSeek

快手风景分享粉丝群建立与管理方案

一、快手平台粉丝群创建与优化

1. 创建流程与基础设置

（1）群名称设计

- 突出主题：结合“风景”核心词+情感/地域/特色（如“山河入梦·中国风光聚集地”“快手云游旅拍联盟”）。

示例

- 诗意型：“人间仙境·24小时美景直播间”

- 实用型：“手机摄影拍风光·技巧交流群”

（2）群头像选择

- 高辨识度：选用原创优质风景图（如日出、云海、星空、标志性景点），叠加简洁文字（如“风景同好会”）。

- 统一风格：与账号主页视觉保持一致（色调、滤镜、构图）。

……

7.1.5 提升账号权重，增强影响力

扫码看教学视频

DeepSeek 能从内容创作、账号优化、互动运营这 3 方面帮助运营者。在内容创作上，它可快速生成优质文章、视频脚本等，还能挖掘热门选题，提升内容多样性；在账号优化方面，它能给出主页设计建议，优化关键词布局；在互动运营方面，它能生成互动话术，分析用户反馈。运营者可以向 DeepSeek 提问，让其提供账号优化策略，助力账号权重提升与影响力增强，相关案例如下。

提示词

我是一个社交媒体运营者，我的账号主要在抖音平台发布内容，专注于科技领域的内容创作，目标受众是科技爱好者。我希望提升账号的权重和影响力，请根据我的账号特点、目标受众和平台规则，提供一份详细的账号优化策略，包括内容创作方向、发布频率、互动方式等。

DeepSeek

根据你的账号定位（科技领域，目标受众为科技爱好者），结合抖音平台的推荐机制和优化策略，以下是一份详细的账号优化方案，涵盖内容创作、发布频率、互动方式及权重提升技巧。

一、账号基础优化：树立专业形象

1. 个人资料完善

（1）昵称与头像：使用科技感强的昵称（如“科技前沿探索”“硬核测评局”），搭配简洁、高辨识度的头像（如电路板、机器人元素）。

（2）简介与关键词：简介中明确账号定位（如“专注科技产品测评与行业趋势解读”），并嵌入关键词（如AI、“智能硬件”“数码测评”），便于搜索推荐。

2. 账号标签精准化

在视频发布时添加与科技领域相关的垂直标签（如#科技测评#数码新品#AI应用），避免使用泛娱乐标签，提升内容与目标受众的匹配度。

二、内容创作方向：聚焦科技垂类核心需求

1. 选题策略

（1）热点追踪：快速跟进科技行业热点（如新品发布会、技术突破），例如“×××深度评测”“×××实战解析”。

……

7.1.6　明确账号定位，精准运营

扫码看教学视频

DeepSeek通过接入联网搜索功能，可以帮助运营者快速了解行业动态、市场趋势和竞争对手情况，从而明确账号在市场中的定位。同时，它还能够帮助运营者深入了解目标受众的特征、兴趣和需求，分析用户数据，包括年龄、性别、地域分布、消费习惯等，从而更精准地定位账号内容和服务。另外，DeepSeek可以根据运营者提供的品牌故事、产品特点或服务理念，帮助提炼出独特的账号风格和价值主张。

在精准运营方面，DeepSeek可以对账号内容进行深度分析，优化文案结构、关键词密度和语言风格，确保内容更具吸引力和传播力。它还能处理和分析账号的运营数据，如用户活跃度、转化率、留存率等，帮助运营者发现潜在问题并制

订针对性的优化策略。

除此之外，DeepSeek 还可以基于市场趋势和用户行为数据，为运营者提供精准的营销策略建议，包括选品、定价、促销活动等，帮助运营者提高营销效果和投资回报率，相关案例如下。

提示词

我正在运营一个专注于[分享美妆教程]的账号，目标受众是[18～30岁之间的女性，主要是一二线城市的学生和年轻职场人士]。请帮助我明确账号的定位，包括市场定位、受众分析、内容风格和价值主张，并提供精准的运营策略。

DeepSeek

一、账号定位拆解

1. 市场定位

差异化关键词："高性价比变美指南"＋"场景化实用教学"

（1）空白市场：美妆内容饱和，但针对一二线城市年轻女性"快节奏生活需求"（如通勤妆、学生党平价替代、面试妆容）的精细化场景教学仍有缺口。

（2）避开红海竞争：不盲目追逐仿妆/大牌测评，专注于"普通女孩的刚需妆容"（如早八5分钟伪素颜、面试得体妆、学生党百元全套彩妆推荐）。

（3）附加价值：融入"职场社交心理学"（如"如何通过妆容提升气场"）和"学生党防坑指南"（如"平价眼影盘避雷测评"），强化实用属性。

2. 受众深层需求分析

（1）学生党（18～22岁）

- 表层需求：平价化妆品推荐、新手化妆技巧。
- 深层需求：低成本变美、校园社交自信提升。
- 内容切入点："宿舍党10分钟上课妆""百元内打造爱豆同款眼妆"。

……

7.1.7 提升店铺销量，实现商业盈利

扫码看教学视频

DeepSeek 能够分析用户行为数据，构建用户画像，实现精准的广告投放和个性化推荐。例如，通过分析用户在新媒体平台的浏览、购买记录，预测其潜在需求，推荐相关商品，提高转化率。

DeepSeek 还可以在选品、文案生成、客服等方面提供支持，以降低运营成本，提升店铺的竞争力和盈利能力。

另外，DeepSeek 还可以生成高质量的短视频脚本、文案内容等，帮助运营者快速吸引流量，通过广告、带货或知识付费实现盈利，相关案例如下。

提示词

我有一个分享穿搭的抖音账号，有几十万粉丝，现在打算给一家服装公司带货，选定了一条连衣裙。这条连衣裙采用优质面料制作，剪裁合身，有多种颜色可选，适合多种场合穿着。请根据这些信息，为我生成一个吸引人的短视频带货脚本，包括视频开场、产品展示、细节讲解、搭配推荐、优惠信息、引导下单和视频结尾等内容，确保视频能够有效吸引粉丝并促进购买。

DeepSeek

【30～60秒短视频脚本框架】

一、片头（0～3秒）

1. 镜头：博主从试衣间帘子后探身走出，双手拎起裙摆转圈。

2. 台词："姐妹们！今天这条连衣裙必须焊死在你们衣柜里！"（字幕：全网爆款预警）

3. 音效：转场音效＋心跳声

二、产品展示（4～12秒）

1. 镜头：全身动态展示（前/侧/背面走位）；面料特写（手指捏面料展示垂感）；衣架旋转展示所有颜色（背景陈列彩虹色系）。

2. 台词："×××家2024王炸款！A字板型专治梨形身材！你们看这个重磅醋酸面料！"（字幕：显瘦黑科技）

……

7.2　DeepSeek助力抖音运营，挖掘热点打造爆款

本节将深入剖析DeepSeek如何助力运营者挖掘抖音平台上的热门话题，紧跟潮流趋势吸引海量流量。例如精心策划的美食爆款视频、多元化的娱乐内容以及高质量的知识分享，不仅满足用户的多样化需求，更帮助运营者树立专业形象，引领行业潮流，让每一个作品都成为引爆话题的焦点。

7.2.1　挖掘抖音热点，紧跟潮流吸引流量

扫码看教学视频

DeepSeek不仅能够实时抓取抖音平台上的热点话题，帮助运营者迅速捕捉到当前流行的内容趋势，还能预测未来可能热门的选题，使运营者能够提前布局内容创作，抢占先机。相关案例如下。

提示词

我是一个抖音运营者，想要挖掘近期的热点话题，以吸引更多流量。请帮我从用户痛点、需求、场景、热点追踪等多个角度出发，生成10个相关的抖音短视频选题。

DeepSeek

根据近期抖音平台的热点趋势和用户需求，结合你的运营方向，以下是10个高潜力短视频选题策划，涵盖痛点、场景及热点追踪，并附上对应的创作方向与数据支持。

一、选题方向与创作建议

1.【春日限定】“欧若风”穿搭全攻略：如何用平价单品穿出高级感？

（1）用户痛点：换季穿搭预算有限，追求高性价比搭配。

（2）热点追踪：2025年“欧若风”风格女装日均成交额环比增长101%，超196万人搜索相关穿搭。

（3）场景设计：对比普通穿搭与欧若风搭配效果，推荐平价单品（如基础款衬衫+珍珠配饰），结合户外踏青场景拍摄。

2. 小众鲜花“香雪兰”养护秘籍：10元实现家庭高级感！

（1）用户需求：低成本打造居家氛围，小众鲜花知识稀缺。

（2）数据支持：抖音38好物节期间，香雪兰销量冲入热销榜，鲜花同城速递成交额增长102%。

（3）内容亮点：从选购、插花到延长花期，结合“春日治愈”主题展示视觉美感。

……

7.2.2 打造美食爆款视频，引领美食潮流

扫码看教学视频

DeepSeek 能够迅速捕捉美食领域的热门话题与流行趋势，比如当前走红的网红美食、季节性特色食材等，为运营者提供多元化的选题灵感。

基于 DeepSeek 筛选出的热门选题，运营者可以从中挑选出几个自己感兴趣或符合账号定位的选题，并将这些选题再次提交给 DeepSeek，让其分析热门选题的规律，如选题的类型、切入角度、关键词等，从而帮助运营者更好地把握用户喜好。

了解了热门选题后，运营者可以选定一个心仪的选题，发送给 DeepSeek。随后，DeepSeek 会根据所选的选题，自动生成一段符合要求的视频文案。这一流程不仅显著提升了运营者的创作效率，还极大地优化了创作质量，相关案例如下。

步骤 01 在 DeepSeek 的提示词输入框中，输入并发送相应提示词，要求 DeepSeek 梳理美食领域的热点选题，相关的提示词和回复内容如下。

提示词

最近，在抖音平台的美食领域有哪些超火的热点？如突然爆红的特色小吃、当季流行的食材、新推出的美食挑战等。请帮我快速梳理一下，以便我基于这些热点来策划美食视频选题。

DeepSeek

根据搜索结果，以下是抖音平台美食领域的超火热点及策划建议，结合用户需求梳理如下。

一、传统美食复兴与创新

1. “咸菜滚豆腐”爆红

这道菜因抖音用户模仿古装剧中“王大人”的经典台词走红，成为抖音三大名菜之一。其制作教程视频热度极高，用户对“酸菜＋豆腐＋回锅肉”的组合兴趣浓厚，适合拍摄趣味剧情与烹饪结合的短视频。

策划方向：还原剧中场景，结合方言配音或古风配乐，突出“下饭神器”的卖点；或邀请达人挑战复刻并创新口味。

2. 围炉煮茶升级版

围炉煮茶持续火爆，近期衍生出“围炉煮奶茶”“围炉冰茶”等新形式，搭配中式点心或地方小吃（如云南傣味辣菜）成为热门打卡内容。

策划方向：结合春季场景，推出“樱花季围炉茶会”，搭配时令食材（如青团、樱花酥）营造氛围感。

……

步骤02 再次向DeepSeek进行追问，要求它深入分析“围炉煮茶升级版”这个热点选题，相关的提示词和回复内容如下。

提示词

我对“围炉煮茶升级版”这个热点话题很感兴趣，请你帮我好好拆解一下，分析这类选题通常都具备哪些爆款规律，切入角度是什么，会用到哪些吸引人的关键词。

DeepSeek

根据搜索结果中关于“围炉煮茶”及其升级版的分析，结合当前抖音平台的内容传播规律，以下是对“围炉煮茶升级版”选题的拆解与分析，涵盖爆款规律、切入角度及关键词策略。

一、爆款规律解析

1. 社交属性与仪式感叠加

（1）核心逻辑：年轻人追求“慢生活”且有社交需求，通过场景化体验满足情感共鸣。例如围炉煮茶的“炉火＋茶饮＋烤食”组合，天然具备群聚分享属性，用户自发拍摄并传播。

（2）升级方向：从传统煮茶到“罐罐烤奶”“围炉冰茶”等新形式，融入奶茶经济与DIY互动，强化参与感和趣味性。

2. 文化赋能与非遗传承

（1）爆点来源：将传统茶文化（如火塘烤茶、非遗制茶技艺）与现代消费场景结合，赋予活动文化内涵，吸引年轻用户对传统文化的认同感。

（2）案例参考：云南非遗“火塘烤茶”被改造为罐罐烤奶，既保留传统工艺，又降低体验门槛，形成差异化卖点。

……

步骤 03 继续向 DeepSeek 提问，要求它根据上下文信息，围绕“围炉煮茶升级版”这个热点选题撰写一段视频文案，相关的提示词和回复内容如下。

提示词

请根据上下文信息，围绕“围炉煮茶升级版”这个热点话题，为我撰写一段相关的美食视频文案，文案要写得生动有趣、有吸引力一点。

DeepSeek

【视频标题】
“樱花季围炉冰茶|闺蜜的春日治愈局，烤奶＋烤串的碳水解锁！”
【视频脚本】
[开场：3秒抓眼球]
（镜头特写：粉白樱花飘落，炭火在陶炉中噼啪作响，茶汤在玻璃壶中沸腾翻滚。）
（背景音效：咕嘟声＋轻快古风配乐）
文案配音：
“谁说围炉煮茶只能冬天玩？樱花季限定版‘围炉冰茶’，炭火烤奶＋果香冷萃，闺蜜局新顶流来咯！”
[第一部分：场景营造]
（镜头切换：户外庭院全景，木质长桌铺满粉色花瓣，中式茶具与冰裂纹瓷盘交错摆放，烤架上地瓜、红枣、栗子吱吱冒油。）
……

7.2.3 丰富娱乐内容，满足用户多元需求

扫码看教学视频

DeepSeek 可以为运营者提供创作灵感和参考。它能够分析大量的优质内容，为运营者提供写作思路、情节设计、角色塑造等方面的建议，帮助运营者突破创作瓶颈，实现更丰富的表达。

另外，DeepSeek 也可以生成多种类型的文本内容，如小说、故事、诗歌、剧本等；还可以结合其他 AI 工具生成图像、视频，如艺术画作、插画、动画视频等，满足用户对不同娱乐形式的需求，相关案例如下。

提示词

你是一位全能的内容创作大师，擅长生成多种类型的娱乐内容。现在，请你创作一篇科幻短篇小说。内容需要以科幻探险的风格呈现，画面感强且节奏紧凑，参考抖音平台的小说推文风格，主题围绕“异星探险”，讲述主角在异星探险时发现神秘遗迹的故事。

DeepSeek

好的，我将按照要求创作一篇科幻探险小说。为了让故事更吸引人，我会先梳理基本框架。请您看看以下内容是否符合您的预期。如果您有其他想法，可以随时提出，我会进行调整。

一、世界观设定

1. 时间设定：未来2098年，人类开始大规模探索深空，星际勘探技术成熟但仍有未知风险。
2. 地点设定：蓝砂星，拥有紫色大气层、液态金属海洋和会移动的结晶山脉。
3. 基本背景：地球文明在星际探索中发现所有异星遗迹都指向某个神秘源头，而蓝砂星可能是解开谜题的关键钥匙。

二、故事梗概

1. 绝境勘探：星际勘探员林深在氧气仅剩15%时发现移动山脉中的神秘建筑群，违背物理定律的构造暗示着超越人类认知的文明存在。
2. 致命发现：遗迹内的活性金属墙壁浮现出人类DNA螺旋，实验室培育舱中封存着与地球生物完全相同的胚胎样本。

……

7.2.4　提升知识分享视频质量，树立专业形象

扫码看教学视频

DeepSeek 擅长生成结构化、逻辑化、细节化的内容，这对于知识分享视频来说至关重要。运营者可以利用 DeepSeek 来设计视频的脚本、文案和画面描述，确保内容条理清晰、易于理解。DeepSeek 的输出还可以包括时间轴和表格形式的内容，帮助运营者更好地规划视频的节奏和信息呈现方式。

在知识分享视频创作中，结合实时数据和行业报告能够提升内容的权威性和实用性。DeepSeek 能够分析海量数据，提供精准的市场洞察和行业趋势分析。运营者可以利用这些信息来丰富视频内容，使视频更具说服力和参考价值，相关案例如下。

提示词

请基于教育领域的最新趋势、市场数据及实时报告，生成一份内容洞察概要。需涵盖该领域内的知识分享视频趋势、市场数据、目标受众洞察、创意启发及具体的内容创作与推广策略建议。

DeepSeek

教育领域内容洞察概要

基于2025年教育技术趋势、市场数据及竞品动态，本报告提炼以下关键洞察与策略建议。

> 一、知识视频趋势
> 1. 沉浸式与交互性增强
> （1）MR/VR/AR技术：混合现实（MR）全息教室通过5G和裸眼3D技术实现虚拟教师互动，提升教学临场感。
> （2）虚拟实验与场景化学习：如VR（虚拟现实）模拟化学实验、AR（增强现实）历史场景重现，用户对高临境感内容需求激增。
> 2. 短视频主导，长视频深耕垂直领域
> 短视频类付费内容占比75.7%，用户更倾向碎片化学习；长视频则聚焦STEM（科学、技术、工程、数学）教育、职业技能等深度内容。
> 3. AI驱动的个性化内容
> AI算法根据学习行为定制推荐路径，例如×××平台通过数据分析预测知识盲点并推送针对性课程。
> 二、市场数据与行业动态
> ……

7.3 DeepSeek助力快手运营，挖掘乡村特色

本节将详细阐述 DeepSeek 如何助力运营者精准捕捉快手平台上的乡村热点，深入挖掘并展现丰富多彩的乡村特色与乡土风情；同时，拓展手工艺创意、丰富地方文化等内容，不仅传承了匠心精神，更弘扬了中华优秀的传统文化，让快手成为连接城乡、传承文化的桥梁。

7.3.1 挖掘快手热点，把握乡村特色

扫码看教学视频

DeepSeek 通过“联网搜索”功能，能够提取出快手平台近期搜索量增长快、讨论热度高的关键词和话题。运营者可以根据这些关键词，了解当前快手用户的兴趣点和关注热点，从而确定具有潜力的内容创作方向。

通过对比分析快手平台上不同热门话题的讨论热度、内容饱和度和商业盈利空间，DeepSeek 还可以帮助运营者筛选出更优的内容创作方向。例如，对比“乡村美食”和“乡村民宿”这两个话题，分析哪个话题的用户参与度更高、市场竞争相对较小、更适合创作。

依据历史数据和当前的用户行为趋势，DeepSeek 可以预测未来一段时间内可能爆发的热点话题或细分赛道，运营者可提前布局，抢占先机，相关案例如下。

提示词

结合当下快手平台的热点趋势，围绕乡村特色，如乡村文旅、乡村露营等，生成一系列具有创意和吸引力的内容创作方向。

DeepSeek

结合快手平台的用户偏好与乡村文旅、露营等热点趋势，以下是一系列创意内容创作方向，旨在通过差异化内容吸引流量，同时展现乡村特色与新兴业态的融合。

一、沉浸式体验类内容

1. “乡村剧本杀＋露营”实景挑战

设计以乡村历史或传说为背景的剧本杀任务，邀请用户参与实景解谜，结合露营地的自然场景（如古树、老宅、稻田）布置线索。拍摄参与者的沉浸式体验过程，突出乡村文化的神秘感与趣味性。

示例标题：“在百年古村里破案！露营夜竟成悬疑现场？”

2. “24小时乡村生存挑战”

设定“零科技”规则，要求参与者仅用传统工具（如柴火灶、手工农具）完成露营生活，穿插采摘、捕鱼等农耕体验。通过对比城市生活的快节奏，展现乡村自给自足的治愈感。

二、文化融合与技艺传承

1. “非遗手作＋露营美学”系列

……

7.3.2　挖掘乡村特色，展现乡土风情

扫码看教学视频

借助大数据分析，DeepSeek 可以帮助运营者了解不同地区的风土人情、乡村特色，还可以了解粉丝的需求和偏好，从而创作相关的内容，相关案例如下。

提示词

我运营了一个名为“乡村风光”的快手账号，想要为账号挖掘更多吸引人的乡村特色内容，以吸引更多粉丝关注和互动。请你为我推荐一些风景优美的乡村，并说明该乡村的特色和风俗。

DeepSeek

以下是为你推荐的一些风景优美、特色鲜明且风俗独特的乡村，可以为你的快手账号“乡村风光”提供丰富的内容素材。

1. 江西婺源篁岭村

（1）特色：徽派古村落，独特的晒秋文化是其最大亮点。每年秋季，村民们会将收获

的玉米、辣椒、南瓜等农作物摆放在房屋的晒架上，形成色彩斑斓的晒秋图，极具视觉冲击力，是摄影和绘画的绝佳素材。

（2）风俗：保留了许多传统的徽州文化习俗，如徽州戏曲、传统手工艺等。

2. 浙江安吉余村

（1）特色："绿水青山就是金山银山"理念的诞生地，生态环境极佳，群山环抱，空气清新，有千年古刹隆庆禅院、千年古树等人文景观。

（2）风俗：当地村民以农家乐休闲旅游为主导产业，热情好客，能体验到地道的乡村生活和淳朴的民风。

……

7.3.3 拓展手工艺创意，传承匠心精神

扫码看教学视频

DeepSeek 可以帮助运营者高效搜集关于手工艺品的详尽信息和多样化的制作方法，挖掘手工艺品选题的宝贵资源。

对于运营者而言，无论是想要了解某种特定手工艺品的起源、发展历程，还是想要掌握其详细的制作步骤和技巧，DeepSeek 都能提供全面而准确的信息。它不仅能够搜集到传统的制作方法，还能发现最新的创新技术和设计理念，为运营者在手工艺品领域的创作提供源源不断的灵感，相关案例如下。

提示词

我在快手平台运营了关于"手工艺品"的自媒体账号，主要分享一些传统手工艺品的历史渊源和制作方法。最近，我打算做一期关于"苏绣"的视频内容，请为我搜集苏绣的相关信息，包括其历史渊源、制作工艺、文化内涵、市场应用等。

DeepSeek

以下是为您整理的苏绣相关信息，涵盖历史渊源、制作工艺、文化内涵及市场应用等方面，结合多篇资料综合提炼而成，适合视频内容创作。

一、历史渊源：千年传承的江南艺术

1. 起源与发展

（1）苏绣起源于春秋战国时期的吴国，距今已有2000余年历史。三国时期孙权曾命人绣制《列国图》，以方帛呈现五岳、河海、城邑等宏大场景，被誉为"绣万国于一锦"。

（2）隋唐时期奠定风格基础，宋元时期技法成熟，至明清时期达到鼎盛，形成"家家养蚕，户户刺绣"的盛况，苏州被称为"绣市"。

（3）清代创新"双面绣"技术，并吸收西洋画光影效果，发展为"仿真绣"，代表人物沈寿将西方写实风格融入传统刺绣。

2. 近现代革新

20世纪50年代成立苏州刺绣研究所，推动技艺系统化传承。现代苏绣结合AI设计、数字

化技术，融入个性化定制，走向大众化。

二、制作工艺：针尖上的东方美学

……

7.3.4 丰富地方文化内容，弘扬传统文化

扫码看教学视频

DeepSeek 可以帮助运营者了解各个地方的文化，提供创作方向和灵感。通过 DeepSeek 的数据分析能力，运营者还可以深入了解不同用户群体的兴趣和偏好，以吸引更多粉丝关注。无论是面向年轻人的潮流化解读，还是面向中老年群体的怀旧情怀追忆，运营者都能找到相关的受众群体，实现精准传播，相关案例如下。

提示词

我运营了一个自媒体账号，主要是站在现代年轻人的角度解读传统文化，深受一些对传统文化感兴趣的年轻人和中老年人的喜爱，但目前缺少创作灵感，已经断更一个星期了，请为我提供一些具有吸引力的选题灵感。

DeepSeek

以下是一些适合你自媒体账号的选题灵感，从现代视角解读传统文化，希望能帮助你打破灵感瓶颈。

1. 传统文化与现代科技的碰撞

（1）古代智慧的科技解读：用现代科技原理解析古代发明，如《古代“黑科技”：那些超越时代的发明创造》。

（2）科技助力文化传承：介绍现代科技如何助力传统文化传承，如《3D打印技术：让古代建筑模型“一夜建成”》。

2. 传统文化在日常生活中的应用

（1）传统节日的新过法：结合现代生活方式重新解读传统节日，如《当传统春节遇上现代城市生活》。

（2）传统手工艺的现代应用：探讨传统手工艺在现代生活中的应用，如《传统刺绣：从古装到现代时尚的跨界之旅》。

3. 传统文化与流行文化的融合

（1）古风音乐的现代演绎：分析古风音乐的流行元素和文化内涵，如《古风音乐：用现代旋律唱响古代诗意》。

（2）传统故事的现代改编：解读传统故事在现代影视、文学中的改编，如《从<白蛇传>到<白蛇：缘起>：传统故事的现代重生》。

……

7.4 本章小结

本章首先介绍了 DeepSeek 如何赋能抖音、快手平台，通过提升账号权重、优化运营时机、增强互动与用户黏性等一系列策略，帮助运营者解锁流量密码，实现精准运营与商业盈利。

然后介绍了 DeepSeek 在助力抖音运营方面的作用，包括如何挖掘热点、打造美食与娱乐爆款、提升知识分享视频质量，从而帮助运营者紧跟潮流趋势，满足用户多元化需求，树立专业形象。

最后，本章还探讨了 DeepSeek 如何助力快手运营，挖掘乡村特色，展现乡土风情，拓展手工艺创意，丰富地方文化内容，从而传承匠心精神与弘扬传统文化。

7.5 课后实训

扫码看教学视频

鉴于本章知识的重要性，为了帮助读者更好地掌握所学知识，本节将通过课后实训，帮助读者进行简单的知识回顾和补充。

实训任务：利用 DeepSeek 制订一份详细的账号优化策略，以提升账号权重、增强影响力，相关案例如下。

提示词

我正在运营一个快手账号，专注于风景照片的内容分享，目标受众是摄影爱好者和旅行爱好者。我希望提升账号的权重和影响力，请根据我的账号特点、目标受众和平台规则，提供一份详细的账号优化策略，包括内容创作方向、发布频率、互动方式等。

DeepSeek

以下是为你的快手风景摄影账号制订的优化策略，结合平台规则、目标受众特点及内容创作技巧，从内容方向、发布策略、互动方式等多个维度提供建议。

一、内容创作方向：垂直深耕与差异化

1. 高质量风景照为核心

（1）黄金时间拍摄：优先在日出/日落时段拍摄，利用柔和光线增强层次感与色彩饱和度（如使用逆光、侧光技巧）。

（2）构图与视角创新：采用三分法、前景引导（如岩石、树枝）增加画面层次，尝试无人机航拍或低角度拍摄展现独特视角。

（3）季节与天气主题：如“雨季云雾山景”“秋日红叶特辑”，突出自然变化带来的视觉冲击。

2. 短视频辅助提升互动

（1）拍摄花絮与技巧教学：展示修图过程（如Lightroom调色）、设备使用技巧（广角/长焦镜头的选择）。

……

第 8 章
小红书、头条号难运营？DeepSeek 有妙招

本章将深入探讨 DeepSeek 这一强大工具如何为小红书、头条号的运营赋能，助力运营者在内容海洋中精准定位、脱颖而出。无论是初出茅庐的运营者，还是希望吸引粉丝的资深玩家，DeepSeek 都能为运营者提供实用、高效的解决方案，让其在内容创作上收获满满，从而提升账号运营效果。

8.1　DeepSeek赋能小红书、头条，打造系列化内容

本节将揭示如何利用 DeepSeek 赋能内容创作与运营，从小红书的笔记秘籍到今日头条的文案指南，再到精准粉丝运营与小众兴趣挖掘，旨在帮助运营者打造系列化的内容体系，并强化读者的情感共鸣，以高质量内容触动用户心灵，开启内容创作与运营的新篇章。

8.1.1　小红书平台基础，笔记创作秘籍

扫码看教学视频

小红书是一个以生活方式分享为核心，集信息分享、购物指南、社交互动于一体的综合性移动互联网平台。

用户可以在平台上发布笔记，分享生活经验、产品测评、旅行攻略等，如图 8-1 所示。平台内容涵盖美妆护肤、时尚穿搭、美食旅行、家居生活等各个领域，用户还可以关注感兴趣的博主和品牌，通过评论、点赞、收藏等功能与其他用户互动。同时，用户也可以直接在平台上购买博主所分享的商品，形成“种草—拔草”的完美闭环模式。

图 8-1　小红书用户分享的旅行攻略

对于运营者来说，若想在小红书平台上脱颖而出，得到更多粉丝的关注和提升账号的影响力，首先必须着重提升内容质量，确保原创性与深度，避免抄袭，提供有价值的信息和独特见解。其次，合理的排版与配图能优化阅读体验，吸引

用户停留。再次，身份背书、数据支撑及用户反馈可以增强内容的专业性。最后，运营者还需精心设计标题与封面，应简洁明了、富有创意，且与用户需求紧密相关，以吸引点击观看。

在互动方面，运营者需要积极回应评论与私信，举办互动活动以激发用户热情，并通过提问、投票等方式引导用户参与。

另外，运营者还可以充分利用小红书的平台机制，如添加相关标签和话题，选择合适的发布时间，以提升内容可见度。为进一步扩大影响力，还可以考虑与其他运营者合作或进行跨平台推广，吸引更多潜在用户。

8.1.2 今日头条平台基础，文案写作指南

扫码看教学视频

头条号平台是今日头条旗下的一个内容创作与发布平台，由北京字节跳动科技有限公司于 2013 年推出。它允许个人、机构和企业创建账号，发布原创文章、视频、图集、问答等多种形式的内容。平台致力于帮助企业、机构、媒体和自媒体在移动端获得更多曝光和关注，扩大影响力，同时实现品牌传播和内容盈利。

头条号平台支持文章、图集、短视频、微头条、问答、音频等多种内容体裁的发布，满足了不同运营者的创作需求和用户的阅读、观看偏好。它更是为运营者提供了多元化的盈利方式，包括头条广告、自营广告、星图广告、商品功能、付费专栏、付费咨询、赞赏功能等，帮助运营者实现内容的商业价值。

运营者在运营头条号账号时，应围绕自身所擅长的领域进行创作，如三农领域的运营者可专注于乡村生活记录、特色农产品介绍等。

同时，运营者还应密切关注时事热点、娱乐新闻、社会话题等，快速反应并创作与热点相关的高质量内容，以增加文章的曝光率和用户的参与度。

需要注意的是，运营者在创作头条号的内容时，应尽量通俗易懂，符合大众口味，避免过于专业化和晦涩难懂。

8.1.3 分析粉丝需求，精准运营

扫码看教学视频

DeepSeek 能帮助运营者深入分析粉丝需求。它通过挖掘粉丝行为数据，如点赞、评论、分享的频率和时间，帮助运营者了解粉丝活跃度和偏好。同时，利用自然语言处理技术，DeepSeek 可以从文本数据中提取关键词，构建兴趣标签体系，帮助运营者精准把握粉丝兴趣点。

DeepSeek 还能综合多维度数据生成详细的用户画像，涵盖基础属性、消费

习惯、价值观等，并实时更新，使运营者掌握最新粉丝动态。在内容创作上，它提供具体方向建议，优化标题和文案，提高吸引力。

另外，通过分析竞品账号的粉丝数据和市场趋势，DeepSeek能够帮助运营者找到差异化优势，提前布局热点。最后，它还可以评估广告和活动效果，优化投放策略和活动策划，助力运营者更好地满足粉丝需求，提升平台运营效果。相关案例如下。

提示词

我正在小红书平台上运营一个美妆类的账号，拥有一万多个粉丝，但作品浏览量、点赞量、评论量以及分享量都不太好。平均每天只有30%的粉丝会浏览账号内容，其中10%的粉丝会进行点赞、评论或分享，点赞高峰时段为晚上8点至10点，评论互动较多的内容集中在新品口红试色和护肤教程方面，分享量大的笔记多为限时折扣信息和独家福利活动。请基于以上信息，进一步分析粉丝的内容偏好、购买意向以及社交互动需求，为我提供精准的内容创作方向、营销策略和粉丝互动建议。

DeepSeek

根据你的账号现状和提供的数据，以下从内容偏好、购买意向、社交需求三个维度进行深度分析，并给出针对性策略建议。

一、粉丝画像与需求分析

1. 内容偏好

（1）强需求内容：新品口红试色（猎奇心理＋实用参考）、护肤教程（刚性需求＋学习属性）。

（2）高传播内容：限时折扣（价格敏感型用户）、独家福利（粉丝专属感驱动分享）。

（3）活跃时段：晚8点至10点（通勤后/睡前放松场景）。

2. 购买意向

（1）价格敏感型：对促销信息反应强烈，愿意为“限时”“独家”标签付费。

（2）尝鲜爱好者：关注新品口红试色，对新品有尝鲜欲望但需要真实评测背书。

（3）功效导向型：护肤教程用户追求产品实际效果，易被“解决方案型”内容种草。

……

8.1.4　发现小众兴趣领域，挖掘内容新蓝海

扫码看教学视频

DeepSeek通过分析小红书、头条号用户在平台上的浏览、点赞、收藏、评论等行为数据，能够精准识别出用户对不同兴趣领域的关注点和偏好。同时，通过实时监测小红书上各类内容的热度变化，包括不同兴趣领域的话题讨论度、笔记发布量和阅读量等，DeepSeek还可以及时发现一些小众兴趣领域中正在兴起的趋势和热点话题。相关案例如下。

提示词

作为一名小红书运营者，我需要借助你的数据分析和洞察力来挖掘小众兴趣领域，以丰富我的内容创作方向并吸引更多特定受众。请根据小红书平台的用户行为数据、内容热度变化以及行业趋势，为我分析并列举出当前具有潜力的小众兴趣领域，包括但不限于新兴的生活方式、小众的爱好、特定的美妆护肤需求、独特的旅游目的地等，并结合实际案例说明这些领域的用户关注度和增长趋势。同时为我提供针对这些小众领域的运营策略和内容创作建议，帮助我在竞争激烈的小红书平台上脱颖而出，满足特定用户群体的需求并实现精准营销。

DeepSeek

根据小红书平台2025年的最新热点趋势和用户行为分析，以下是小众兴趣领域的潜力方向及对应的运营策略建议，结合实际案例和数据洞察，帮助你精准定位并吸引特定受众。

一、潜力小众兴趣领域分析

1. 手工DIY与解压类内容

（1）用户关注度：拆卡（盲盒卡片收集）、手工模型、黏土创作、毛线编织等解压类内容需求激增，尤其吸引年轻女性用户。2024年数据显示，拆卡相关内容在小红书搜索量增长超300%。

（2）案例：账号×××通过搞怪测评和手工教程（如“100元拆卡挑战”）吸引大量用户参与互动，单条视频收藏量破10万。

（3）增长趋势：用户追求“慢生活”和情感疗愈，此类内容容易形成忠实粉丝群。

2. 垂直细分美妆需求

（1）用户关注度：小众护肤需求（如敏感肌屏障修复、油痘肌专属成分分析）、国潮美妆（如非遗工艺口红）、男士护肤等赛道崛起。

……

8.1.5 打造系列化内容，构建内容生态

扫码看教学视频

DeepSeek 可以分析平台上的热点趋势和用户需求，为运营者提供高热度、低竞争的长尾话题，作为系列化内容的主题方向。

根据选定的主题，DeepSeek 可以协助运营者规划系列化内容的整体框架，包括内容的篇幅、每篇的重点和逻辑顺序等，然后根据运营者的要求和每篇的重点生成相应的内容。相关案例如下。

步骤 01 在 DeepSeek 的提示词输入框中，输入并发送相应提示词，要求 DeepSeek 分析今日头条平台上的热点话题关键词，并挖掘出适合打造系列化内容的 3 个主题方向，相关的提示词和回复内容如下。

提示词

请基于今日头条平台上近一周内热度高、增长快且竞争相对较低的10个话题关键词，并

结合用户互动数据，为我挖掘出适合打造系列化内容的3个主题方向，要求每个方向都详细阐述其潜在的用户需求和市场趋势。

DeepSeek

基于近一周今日头条平台的热点数据和用户互动特征，结合搜索结果的行业动态与政策导向，筛选出以下10个高热度、快增长、低竞争话题关键词，并挖掘出适合系列化内容开发的3个主题方向。

一、热度高且竞争低的话题关键词

1. 预防AI诈骗与保障消费安全（热度↑120%，互动率↑65%）

关联事件：券商阻击AI诈骗、3·15晚会曝光新型金融骗局。

2. 低空经济与商业航天（热度↑90%，互动率↑50%）

关联事件：政府工作报告连续两年提及低空经济，海南商业航天全产业链闭环。

……

二、适合系列化内容的主题方向及分析

方向：新兴产业技术解析（低空经济/深海科技/商业航天）

1. 用户需求：

（1）投资科普：普通用户关注政策红利下的投资机会（如低空经济产业链、商业航天公司布局）；

（2）技术应用：企业决策者需要了解深海探测设备、卫星通信等技术的商业化场景；

（3）未来趋势：年轻群体对“硬科技”的兴趣提升，期待可视化内容（如航天发射直播、深海探测纪录片）。

……

步骤02 再次向DeepSeek进行追问，要求它深入分析“新兴产业技术解析”这个热门话题方向，并为其构建一个包含5～7篇内容的系列化框架，相关的提示词和回复内容如下。

提示词

为“新兴产业技术解析”这个方向构建一个包含5～7篇内容的系列化框架。框架应涵盖每篇内容的核心要点、逻辑顺序以及它们之间的关联性，同时要确保整个系列具有连贯性和层次感，能够系统地满足目标受众的知识获取或娱乐需求。

DeepSeek

系列化内容框架：新兴产业技术解析

目标受众：科技爱好者、产业投资者、企业决策者、政策研究者

核心目标：系统性拆解新兴产业技术发展脉络，覆盖政策、技术、市场、应用四大维度，兼顾知识深度与传播性。

系列主题逻辑与关联性：整个系列以“技术驱动产业变革”为主线，从宏观政策导向到细分技术解析，再到应用场景落地，最终展望未来趋势与挑战，形成“认知—理解—应

用—预见”的递进逻辑。
第一篇：新兴产业全景图——政策驱动与技术革命
1.核心要点
（1）政策脉络：解读《新产业标准化领航工程实施方案》中“8+9”产业布局（新一代信息技术、新能源等八大新兴+元宇宙等九大未来产业）。
（2）技术革命标志：对比传统产业与新兴产业的差异（如知识密集性、高附加值、政策依赖性）。
……

步骤03 继续向 DeepSeek 提问，要求它针对上一步构建的系列化框架中的第一篇内容，生成一篇 1500 字左右的文章，相关的提示词和回复内容如下。

提示词

针对上一步构建的系列化框架中的第一篇内容，生成一篇1500字左右的文章，同时为后续内容的创作提供可参考的风格和格式模板，确保整个系列在不同内容形式下都能保持风格的一致性和吸引力。

DeepSeek

《新兴产业全景图：政策驱动与技术革命——解码中国“8+9”产业布局与全球竞争新格局》
引言
在“双碳”目标与科技强国的双重战略驱动下，中国新兴产业正以前所未有的速度重塑全球产业版图。《新产业标准化领航工程实施方案》提出的“8大新兴产业+9大未来产业”框架，标志着中国在现代化产业体系建设中迈入新阶段。本文将从政策脉络、技术革命标志、全球竞争格局三大维度，系统性解析新兴产业的战略布局与发展动能，为投资者、企业决策者及科技爱好者提供全景式洞察。
一、政策驱动：从顶层设计到产业落地
1.“8+9”产业布局的战略意义
根据《新产业标准化领航工程实施方案》，中国将新一代信息技术、新能源、新材料等8大新兴产业与元宇宙、量子信息、人形机器人等9大未来产业列为新质生产力的核心载体。这一布局不仅覆盖了当前经济转型升级的关键领域，更瞄准了未来10～15年的技术制高点。
……

8.1.6 增强内容情感共鸣，打动用户心弦

扫码看教学视频

结合头条用户的偏好，DeepSeek 能够生成符合用户情感需求的选题方向。在内容创作时，DeepSeek 可以按照提示词生成一篇完整的头条号风格文章，包含具体人物、事件和情感起伏的故事，让读者更容易代入

其中，感受主人公的喜怒哀乐，进而增强情感共鸣，相关案例如下。

提示词

你是头条号运营者，需要为[20～45岁城市居民]撰写一篇关于[邻里之间的温暖故事]的日常主题文章。要求：以第一人称构建主角，设计完整故事线，注重情感起伏与细节描写。请生成一篇[1200字]左右的头条号风格文章。

DeepSeek

《邻里守望：城市里的温暖灯火》

在这个快节奏的城市里，邻里之间的关系常常显得有些疏离。人们各自忙碌着，很少有时间去了解身边的人。然而，我却在这个钢筋水泥的丛林中，感受到了一份真挚而温暖的邻里情。

那是一个普通的下雨天，我像往常一样加班到很晚才回家。走到小区门口时，突然发现自己的钥匙忘在了办公室。看着眼前高耸的居民楼，我心里满是焦虑，因为这意味着我得在外面待到天亮。就在我不知所措的时候，保安李大爷注意到了我。他关切地问我发生了什么事，听完我的遭遇后，他毫不犹豫地邀请我去他的保安亭暂避风雨。在那里，他递给我一杯热茶，和我聊起了家常。从他的话语中，我感受到了一种久违的温暖。

第二天，我在小区的公告栏里看到了一张寻物启事，原来是李大爷的老花镜丢了。我突然想起昨晚在保安亭看到过一副眼镜，于是赶忙回去寻找。在保安亭的角落里，我找到了那副老花镜，交给了李大爷。他接过眼镜，脸上露出了欣慰的笑容，连声道谢。那一刻，我意识到，原来小小的举动也能给别人带来如此大的快乐……

8.2　DeepSeek助力小红书运营，生成多种类型笔记

在当今这个信息爆炸的时代，DeepSeek凭借其强大的内容生成能力，为小红书的内容生态注入了全新活力。本节将深入探讨DeepSeek如何赋能小红书运营者，通过生成各类笔记，满足用户多元化需求，以提升账号关注度和影响力。

8.2.1　生成种草类笔记，引领消费潮流

扫码看教学视频

小红书种草类笔记是指用户通过分享自己的购物体验、生活心得等方式，向其他用户推荐产品或服务，并激发他们的购买欲望的过程。这种笔记通常图文并茂，甚至还会附上视频，让人一看就有购买冲动。

种草笔记的内容往往以用户的真实体验为基础，通过详细的描述和生动的图片，向读者展示产品的特点、优势和使用感受。它具有真实可信、互动性强和视

觉呈现精美的特点，能够带动消费热潮、塑造品牌形象并引导消费趋势。

DeepSeek 能够结合当前的热点话题，为特定品牌或产品设计小红书专属笔记。运营者只需提供产品信息、目标受众等基本要素，DeepSeek 就能直接生成完整的种草笔记初稿，大大节省了写作时间，相关案例如下。

提示词

请根据下面的产品信息，生成一篇适合小红书平台的种草笔记文案。文案需要详细描述产品的名称、特点和优势，突出其独特卖点，让读者对产品有清晰的了解。同时，分享个人使用该产品的感受，包括使用过程中的愉悦感和效果的显著性，增加真实性和可信度。字数控制在300～500字，简洁明了，易于阅读和分享。产品信息如下。

产品名称：×××美白精华液。

产品类别：美妆护肤。

产品特点：高浓度VC成分，能够有效提亮肤色、淡化色斑；质地轻盈，易于吸收；温和不刺激，适合各种肤质使用。

目标受众：25～40岁的女性，有美白、淡斑需求，注重肌肤保养。

DeepSeek

【28天逆袭冷白皮！这瓶精华让我素颜也能发光】

姐妹们！最近被同事追着问的“灯泡肌”秘密武器来了——×××美白精华液！我这个黄二白亲测用完半瓶就敢素颜出门喝下午茶了！

【成分党狂喜的硬核配置】

1. 20%黄金浓度VC衍生物（遇光不反黑！早晚都能用！）

2. 复配3%传明酸＋2%烟酰胺（狙击黑色素三通路！）

3. 敏感肌友好配方（零酒精零香精！本混油痘肌亲测温和！）

【上脸瞬间被惊艳的肤感】

挤出来是清透的蛋清质地，在掌心搓开的瞬间就像化成了水！上脸咻咻吸收后是哑光的，后续跟妆完全不打架。我这个外油内干皮用着既保湿又不黏腻，夏天用简直感动到哭！

【真实28天打卡日记】

……

8.2.2 生成情感类笔记，触动用户情感

小红书情感类笔记是指在小红书平台上，以情感为主题或核心内容的笔记。这类笔记通常围绕恋爱、婚姻、家庭、友情等情感领域展开，通过文字、图片、视频等形式，分享个人的情感经历、感悟、建议或相关知识，旨在引发用户的情感共鸣，满足用户在情感方面的信息需求和情

扫码看教学视频

感表达需求。

DeepSeek 能基于大数据分析，快速扫描小红书平台上的情感类热门话题、趋势以及用户关注点，为运营者提供精准的选题方向。

另外，根据运营者输入的主题或关键词，DeepSeek 能够快速生成情感类笔记的初稿文案。它会结合情感类笔记的语言风格，使用生动、真挚、富有感染力的文字，让文案更具吸引力和共鸣感，相关案例如下。

提示词

你是一个专业的小红书情感类笔记运营者，能够用生动、真挚、富有感染力的文字来触动读者的心弦。现在你需要根据“分手后如何走出来”这个主题，生成一篇情感类笔记的初稿文案。文案要符合小红书的风格，语言简洁明了，段落分明。同时，文案内容要完整，包含开头引入、中间的情感故事或分析、结尾的总结或建议。

DeepSeek

［失恋后，我如何重拾生活的阳光］

失恋就像一场暴雨，淋湿了我们的心，让我们在爱的荒原里迷失方向。每一个失恋的人，都像在黑暗中摸索前行的旅人，渴望一束光，指引我们走出这片阴霾。

那段时间，我的世界仿佛被按下了暂停键。每天都在回忆里打转，翻看和前任的聊天记录、合照，每一帧画面都像一把刀子，割在心上。朋友的安慰、家人的劝解，都像是隔靴搔痒，无法真正触及内心的伤口。

直到有一天，我在书上看到一句话：“失恋不是失败，而是成长的契机。”这句话像一道闪电，划破了我心中的黑暗。我开始反思这段感情，我们为何会走到这一步？是性格不合，还是沟通出了问题？我试着从这段关系中抽离出来，去分析它的本质，而不是一味地沉浸在失去的痛苦中。

我决定改变自己。把注意力从过去转移到现在和未来。我报了一个一直想参加的舞蹈班，学习新的技能，结识新的朋友……

8.2.3　生成生活记录类笔记，展现生活之美

扫码看教学视频

小红书生活记录类笔记是指用户在小红书平台上记录和分享自己日常生活点滴、感悟和体验的笔记类型，它真实地展现个人在日常生活中的各种经历和感受，具有一定的个人化和情感化特点。

DeepSeek 能够根据给定的主题或关键词，帮助运营者在短时间内创作出大量高质量的生活记录类笔记，相关案例如下。

提示词

生成一篇小红书生活记录类笔记，主题为“周末自制美食分享”，内容需涵盖所做美食

的名称、制作过程、个人感受以及分享推荐理由，语言风格轻松、有趣且真实，符合小红书平台的调性，字数在300字左右。

DeepSeek

［周末自制美食|吃到扶墙的幸福时刻］

周末啦，我又在厨房“搞事情”，这次做了超级好吃的比萨和蛋糕，必须来分享！

先说比萨吧，我选的是经典意式薄底火腿比萨。面团发酵时，我心里还直犯嘀咕，就怕发不好。结果，嘿！还挺争气。铺上新鲜的彩椒、洋葱、口蘑，再放上嫩嫩的火腿，撒上一层芝士，烤箱里一烤，香气直接“钻”进鼻子里！咬一口，外皮酥脆，内里软糯，芝士拉丝，那滋味，绝了！

还有蛋糕，我做的是轻乳酪蛋糕。蛋糕糊倒入模具，丝滑治愈。烤好的蛋糕，表面金黄，内部细腻湿润，入口即化，奶香味在舌尖散开，幸福感瞬间爆棚！

自制美食不仅吃得安心，还能根据自己的口味调整配料，过程虽有点手忙脚乱，但收获满满。宝子们，周末闲着也试试做呀，真的超有趣，还能让家里充满温馨的烟火气哦！

8.2.4 生成学习成长类笔记，助力用户进步

扫码看教学视频

小红书学习成长类笔记是指在小红书这个社交平台上，用户分享的与学习和自我成长相关的内容。这类笔记通常包含学习方法、成长故事、知识科普等方面的信息，旨在帮助其他用户获取知识、提升自我。

DeepSeek 能够根据运营者提供的提示词，快速生成高质量的小红书学习成长类笔记，确保生成的笔记结构符合平台调性，包含吸引开头、实用干货、情绪共鸣和行动引导等内容，使生成的笔记更具吸引力和传播力，相关案例如下。

步骤 01 在 DeepSeek 的提示词输入框中，输入并发送相应提示词，要求 DeepSeek 提供 10 个高效背单词的方法，相关的提示词和回复内容如下。

提示词

请给我提供10个高效背英语单词的方法，我要制作一篇小红书笔记，方法不能低于10个。

DeepSeek

【10个学霸私藏背英语单词方法 | 拒绝无效死记硬背！】

背单词总背了忘？试试这些高效记忆法

快速突破词汇量瓶颈，专治各种记不住！

1. 场景联想法

把单词放进具体场景（超市/职场/旅行）

例：ambitious＝职场升职画面＋内心渴望感

2. 词根词缀拆解法
背1个词根＝记住10＋衍生词
例：port（搬运）→import/export/transport
3. 五感记忆法
……

步骤 02 继续输入提示词，要求 DeepSeek 将上面的内容做成图片，如图 8-2 所示。单击发送按钮或按【Enter】键确认。

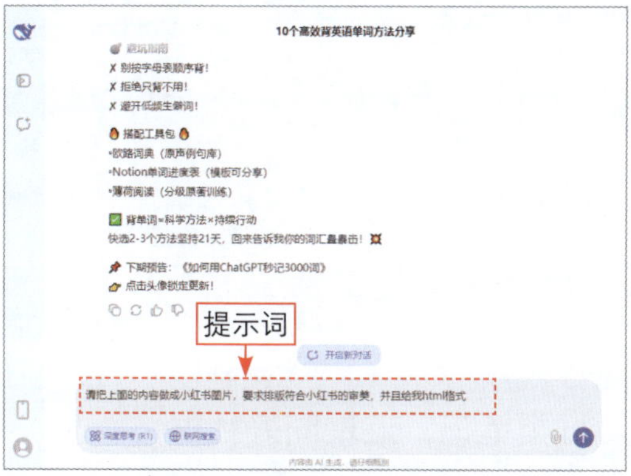

图 8-2　要求 DeepSeek 制图

步骤 03 执行操作后，DeepSeek 会生成一段对应的代码，单击“运行 HTML”按钮，如图 8-3 所示，或者直接复制到支持 HTML 的笔记工具中。

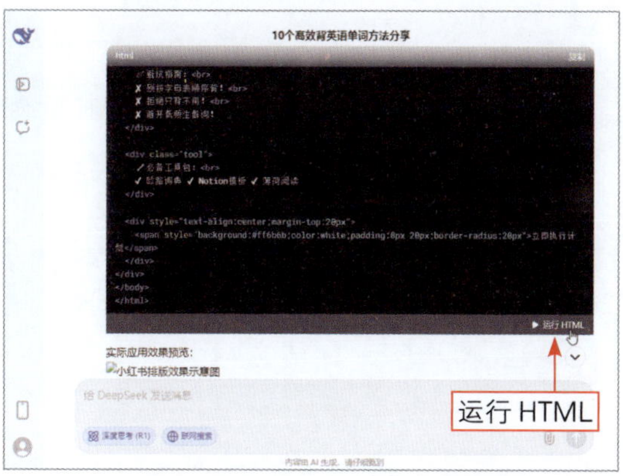

图 8-3　单击“运行 HTML”按钮

步骤 04 执行操作后，即可生成一张符合小红书平台风格和排版要求的笔记图片，如图 8-4 所示。

图 8-4　生成一张符合小红书平台风格和排版要求的笔记图片

8.2.5　生成兴趣爱好类笔记，汇聚同好社群

扫码看教学视频

小红书兴趣爱好类笔记是指用户在小红书平台上的分享和展示个人兴趣爱好的内容，这类笔记通常由创作者根据自己的兴趣和特长制作，内容丰富多样，如手工制作、阅读与写作、音乐与舞蹈、摄影与摄像、绘画与艺术、运动与健身等。

DeepSeek 可以根据小红书平台的热点趋势和用户兴趣，按照运营者的要求，生成一篇结构完整、内容丰富且符合小红书风格的笔记内容，相关案例如下。

提示词

生成一篇小红书兴趣爱好类笔记，主题为“阅读心得分享”，书籍为老舍的《猫城记》，内容需要包含书籍简介、精彩片段、个人感悟等部分详细内容，同时还应适当加入互动引导。

DeepSeek

[读完这本书，我彻底emo了。老舍的《猫城记》也太敢写了！]
书籍简介
《猫城记》是老舍1932年创作的一部“另类”科幻寓言小说，被称为中国版《1984》！故事讲述“我”因飞机坠毁误闯火星猫城，目睹一群猫脸人如何从两万年文明堕落到自相残杀、最终灭族的悲剧。猫人沉迷“迷叶”（类似精神鸦片）、内斗成性，面对外敌只会投降逃跑……老舍用黑色幽默，写透了人性贪婪与文明溃败的真相。
震撼片段摘录
1. 灰色宇宙的窒息感
“灰色的空气，热、密、沉闷……阳光在这灰中折减了，散匀成银灰的宇宙。远处的小山灰里带红，像野鸽脖子的彩闪。”
——开篇的压抑画面，瞬间代入末日般的猫城。
……

8.2.6　生成平替类笔记，提供实惠选择

扫码看教学视频

小红书平替类笔记是一种在小红书平台上非常受欢迎的内容形式，它主要推荐价格较低但功能、效果与知名品牌或高价产品相近的平价替代品。

输入“以 ××× 的口吻，对比产品 A 和产品 B，突出各自的优缺点和适用人群”，让 DeepSeek 生成关于平替产品与原品牌产品的对比评测内容，帮助运营者为小红书用户提供更全面的参考，相关案例如下。

提示词

以［美妆博主］的口吻，对比［平价粉底液A］和［大牌粉底液B］，从质地、遮瑕度、持久度、服帖性等方面进行分析，突出平价粉底液的性价比优势，为用户呈现一份详尽的平替产品对比评测，帮助大家做出更明智的购物选择。

DeepSeek

哈喽，姐妹们！今天来一场「平价VS大牌」粉底液的终极对决！作为混油瑕疵皮的美妆博主，我实测了全网热门的平价粉底液A和大牌粉底液B，从质地、遮瑕度到持久度全方位对比，帮你找到「百元平替」的隐藏宝藏，省下的钱买奶茶不香吗？速来抄作业！
【质地对比：平价也能玩转“丝滑感”】
1. A系列：质地水润轻盈，推开如乳液般顺滑。A1主打哑光速干，适合油皮；A2含植物精华，触感更接近B系中的「B1」，但价格仅需1/5。
2. B系列：如B2、B3，质地更偏“贵妇级”细腻，添加养肤成分（如玻色因、深海藻类），触感如绸缎，但部分质地厚重，如B4，可能会闷痘，对敏感肌不友好。
3. 平替重点：追求轻薄妆效可选A2，媲美B1的丝滑感；若需养肤，平价区可尝试含紫苏或人参成分的A3。
【遮瑕度：平价遮瑕猛，大牌更“心机”】
……

8.3 DeepSeek助力头条号运营，生成多种类型文章

在当今这个信息快速更迭的时代，DeepSeek 以其卓越的内容生成能力，为头条号运营带来了前所未有的助力。本节将细致剖析 DeepSeek 如何赋能头条号，通过智能化地生成多种类型的文章，帮助运营者更好地运营头条号，以获得更多粉丝关注。

8.3.1 生成新闻资讯类文章，传递最新动态

扫码看教学视频

DeepSeek 可以实时监测新闻热点和趋势，为运营者提供最新的新闻主题和热门话题。例如，如果近期科技领域有重大突破，DeepSeek 可以迅速捕捉并推荐相关主题，然后根据运营者的要求，快速生成一篇新闻资讯类文章，相关案例如下。

步骤 01 在 DeepSeek 的提示词输入框中，输入并发送相应提示词，要求 DeepSeek 搜集近期科技领域的热点话题，相关的提示词和回复内容如下。

提示词

近期科技领域有哪些热点话题？

DeepSeek

根据近期的科技动态，以下是值得关注的热点话题分类整理。

1. 人工智能（AI）与机器人技术

（1）AI编码与开发工具革新

Anthropic CEO预测AI将在未来6个月内编写90%的代码，一年内几乎覆盖全部编程工作，由此引发了对软件工程师职业转型的讨论。微软推出“NET AI库”模板，开发者可快速构建高度可定制的聊天机器人应用，推动AI开发生态。

（2）通用AI Agent与具身智能突破

国内初创公司Monica推出的AI Agent Manus引发全球热议，其跨领域任务处理能力被评价为“知行合一”，但也面临事实性错误争议。智元机器人发布全球首个通用具身基座模型ViLLA，解决机器人泛化性差的问题；北京人形机器人创新中心推出“慧思开物”平台，实现任务理解到执行的全流程智能化。

……

步骤 02 在 DeepSeek 的提示词输入框中，输入并发送相应提示词，要求 DeepSeek 根据“通用 AI Agent 与具身智能突破”这个热点，写一篇新闻资讯类文章，相关的提示词和回复内容如下。

提示词

请根据“通用AI Agent与具身智能突破”这个热点，写一篇新闻资讯类文章，要求符合今日头条平台风格，语言通俗，易于读者理解。

DeepSeek

《2025年AI大爆发：通用智能体Manus横空出世，机器人从此能看会做！》
一、通用AI Agent：从“助手”到“打工人”的跨越
2025年3月，AI领域迎来历史性时刻——国内初创公司Monica推出的通用AI智能体Manus全球首发。这款智能体不仅能分析数据、撰写报告，还能像人类一样操作电脑，完成合同审查、简历筛选等复杂任务，真正实现“所想即所得”。
据演示视频显示，Manus可全自动处理跨领域工作，如下所示。
1. 金融领域：10分钟生成深度行业研究报告；
2. 法律领域：精准识别合同漏洞，准确率达98%；
3. 生活服务：自动预订机票酒店，规划最优行程。
×××分析认为，Manus的问世标志着AI从“思考”迈向“行动”，2025年将成为“AI Agent商业元年”。更值得关注的是，Manus宣布将开源部分模型，未来或催生千亿级生态市场。
……

8.3.2　生成娱乐休闲类文章，丰富用户生活

扫码看教学视频

DeepSeek能够根据运营者提供的关键词、热点话题，或者是写作模板，快速生成一篇符合今日头条平台风格的娱乐休闲类文章，相关案例如下。

提示词

你是一位经验丰富的娱乐休闲类头条号运营者，擅长通过热点追踪、垂直领域拓展等方式挖掘选题，并能根据爆款文章结构模板快速输出高质量内容，还能实现多模态内容裂变。现在，请你以“年轻人为何热衷于剧本杀”为题，按照“3个反常现象＋2个权威数据＋1个情绪共鸣结尾”的爆款结构模板输出一篇适合头条号发布的文章，结合相关行业数据来反驳表面现象，结尾应引发不同年龄段读者的讨论，保持口语化。

DeepSeek

《年轻人为何热衷于剧本杀》
在如今这个快节奏的时代，年轻人的娱乐方式可谓千奇百怪，而剧本杀无疑成了其中的焦点之一。然而，如果我们仔细观察，会发现一些看似反常的现象。
其一，剧本杀的复杂程度令人咋舌，动辄几个小时的游戏时长，需要玩家熟读厚厚的剧本，还要进行大量的推理和讨论，但许多年轻人却乐此不疲，甚至愿意花费更多时间去体验更长的剧本。其二，剧本杀的价格并不便宜，一次人均消费动辄上百元，但年轻人

却依然愿意为它买单，甚至将其作为日常娱乐的首选之一。其三，剧本杀的内容五花八门，有些甚至涉及一些较为敏感或边缘的元素，但依然吸引了大量年轻玩家。
……

8.3.3 生成生活服务类文章，解决用户难题

扫码看教学视频

DeepSeek 可以根据运营者的需求和特点，提供个性化的生活服务类文章生成服务。如果运营者专注于某个特定的生活服务领域，如家居装修、旅游攻略等，DeepSeek 可以针对该领域生成更专业、更深入的文章，帮助运营者树立专业形象，吸引更多的粉丝和关注，相关案例如下。

提示词

作为头条号运营者，希望你能根据我的特定需求和特点提供个性化的文章生成服务。我的专注领域是旅游攻略，写作风格偏向幽默风趣、温暖治愈，目标受众是25～40岁的女性，生活在二三线城市，追求品质生活、热衷于旅游体验。请根据这些信息，为我生成一篇既专业又符合我个人品牌和形象的生活服务类文章，主题是小众旅游目的地推荐，确保文章内容具有深度和实用性，同时能够吸引我的目标受众，符合今日头条平台风格。

DeepSeek

《小众旅游地大赏：人少景美，心灵治愈之旅》
在如今这个快节奏的时代，旅行已经成为许多人放松身心、寻找心灵慰藉的重要方式。对于生活在二三线城市的25～40岁女性来说，追求品质生活与独特的旅游体验是她们的向往。今天，就为大家挖掘几个国内的小众旅游目的地，让你的下一次出行充满惊喜与温暖。
1.贵州 • 西江千户苗寨
西江千户苗寨位于贵州省黔东南苗族侗族自治州雷山县，是一个完整保存苗族“原始生态”文化的地方。这里由十余个依山而建的自然村寨相连成片，吊脚楼层层叠叠，错落有致，蔚为壮观。
当你踏入苗寨，仿佛进入了一个神秘的民族风情世界。在这里，你可以欣赏到苗族同胞们精美的银饰、华丽的服饰，还能了解到古老的苗族文化与传统技艺。走在青石板路上，两旁是特色小店，售卖着苗族手工艺品和特色小吃，让你目不暇接。
夜幕降临，整个苗寨灯火辉煌，宛如繁星点点。此时，你可以找一家当地的特色餐厅，品尝苗族的长桌宴，感受浓郁的民族风情。
……

8.3.4 生成科技数码类文章，紧跟科技前沿

扫码看教学视频

运营者可以向 DeepSeek 输入具体的创作指令，如“写一篇关于2025 年智能手机发展趋势的分析文章”，它会自动生成结构完整、逻辑

清晰的高质量文章，运营者再根据需要进行适当调整和补充即可，相关案例如下。

提示词

写一篇关于2025年智能手机发展趋势的分析文章，要求符合今日头条平台风格。

DeepSeek

《2025年智能手机发展趋势分析：技术革新与市场变革下的新机遇》

随着科技的不断进步，智能手机行业正经历着深刻的技术革新与市场变革。2025年，智能手机市场将呈现出一系列令人瞩目的发展趋势，这些趋势不仅将改变手机产品的形态和功能，也将为消费者带来全新的体验和价值。

一、市场增长与技术革新

（一）市场增长态势

2025年，中国智能手机市场出货量将继续稳步增长，预计达到2.89亿，同比增长1.6%。尽管全球智能手机市场整体增速放缓，但中国市场的换机需求释放和政策刺激将推动其稳定发展。同时，折叠屏手机市场增长速度高于大盘，预计出货量将达到1000万左右，同比增长8.3%。

（二）技术革新驱动

技术革新是推动智能手机市场发展的核心动力。2025年，新一代AI手机在厂商和行业的推动下快速增长，预计市场出货量达到1.18亿台，同比增长59.8%，整体市场占比40.7%。

……

8.3.5　生成教育培训类文章，助力知识传播

扫码看教学视频

DeepSeek 能够根据给定的主题和要求，快速生成逻辑清晰、内容丰富的教育培训类文章，相关案例如下。

提示词

你是一个专业的教育内容创作者，具有深厚的知识储备和丰富的教学经验。请根据“人工智能在教育中的应用”这一主题，撰写一篇结构清晰、逻辑严谨、内容翔实且具有吸引力的教育培训类文章，文章的字数应不少于1000字，语言表达要流畅自然，符合教育培训类文章的风格和语气。同时，请注意文章要符合今日头条平台风格。

DeepSeek

《AI赋能教育：开启智能学习新时代》

在当今数字化飞速发展的时代，AI已不再是一个遥远的科技幻想，而是实实在在地走进了我们的生活，尤其在教育领域，正掀起一场深刻的变革。AI与教育的深度融合，正为学习者带来更加个性化、高效且富有创造力的学习体验，也为整个教育行业注入了新的活力与可能。

一、个性化学习：因材施教的完美呈现
传统课堂上，教师面对众多学生，往往难以兼顾每个学生的独特需求，而AI的介入精准地解决了这一难题。通过先进的学习分析技术，AI系统能够实时收集并分析学生在学习过程中的海量数据，包括答题速度、正确率、知识薄弱点、学习习惯等多维度信息。基于这些数据，AI为每个学生量身定制个性化的学习路径和内容推荐。
例如，一位学生在数学的代数模块存在明显困难，而另一位学生则在几何上稍显吃力，AI系统会智能地为他们分别推送针对代数和几何的专项练习。
……

8.3.6 生成文学创作类文章，展现文学魅力

扫码看教学视频

DeepSeek 能够根据运营者给定的关键词和主题，生成一篇语言流畅、故事性强的高质量文学作品，相关案例如下。

提示词

你是一个专业的文学创作者，现在需要为头条号运营者生成一篇古代爱情题材的短篇小说。主题围绕才子佳人的爱情故事，目标受众是喜爱古代言情的青年读者，字数要求在1500字左右。请确保文章情节跌宕起伏，人物形象鲜明，语言优美流畅，符合头条号的发布风格，并在创作过程中保持文风的连贯性和一致性。

DeepSeek

《月下盟约：才子佳人的红尘恋歌》
江南的烟雨朦胧了岁月，也朦胧了那一段才子佳人的绝世情缘。
在繁华的苏州城，有一处静谧的书斋，书生李逸风每日在此研墨挥毫，诗文满腹，却因家道中落，只能寄身于这狭小的空间，等待科举改变命运。而城中首富之女林婉清，貌若天仙，自幼精通琴棋书画，常在自家花园的凉亭中抚琴作画，无奈被家族规矩束缚，不得随意外出。
一次偶然，婉清在花园墙头听见隔壁书斋传出的琅琅读书声，那声音如山间清泉，直入心田。好奇心驱使下，她悄悄窥见了正在勤奋苦读的李逸风，只见他身着一袭青衫，虽旧却整洁，眉宇间透着书卷气与不屈之志。婉清心中泛起涟漪，从此，那道身影成了她心底的秘密。
几日后，婉清趁家人不备，身着淡雅罗裙，手持一把油纸伞，踏着江南细雨，悄然来到李逸风的书斋外。
……

8.4 本章小结

本章首先介绍了 DeepSeek 如何赋能小红书和今日头条，帮助运营者打造系列

化内容；然后介绍了 DeepSeek 助力小红书运营，辅助生成种草类、情感类等多种类型的笔记；最后介绍了 DeepSeek 助力头条号运营，辅助生成新闻资讯类、娱乐休闲类等多种类型的文章，帮助运营者更好地吸引和留住用户，提升内容质量和影响力。

8.5　课后实训

扫码看教学视频

鉴于本章知识的重要性，为了帮助读者更好地掌握所学知识，本节将通过课后实训，帮助读者进行简单的知识回顾和补充。

实训任务：利用 DeepSeek 创作一篇小红书生活记录类笔记，相关案例如下。

提示词

生成一篇小红书生活记录类笔记，主题为“手工编织小物件”，内容需涵盖所做小物件的名称、制作过程、个人感受以及分享推荐理由，语言风格轻松、有趣且真实，符合小红书平台的调性，字数在300字左右。

DeepSeek

［手工编织小物件　毛线里的幸福感］

最近沉迷于手工编织，根本停不下来！从最开始的手忙脚乱到现在的得心应手，也算是解锁了一项新技能。

这次编织的是钥匙包和杯套。钥匙包用的是彩色毛线，编织时加入了一些小珠子，让整个包变得灵动又可爱。杯套则选了暖黄色毛线，看着就暖意融融。编织过程也不复杂，跟着网上的教程，一针一线慢慢来。虽然中间也出现过针法错误，但拆了重来，反而觉得这个过程更有意思。

每次完成一个编织小物件，都觉得自己超有成就感。而且手工编织的东西独一无二，送人也更有心意。宝子们，真的推荐你们试试，空闲时间动动手，编织出属于自己的小美好，还能收获一份宁静与满足感，这可比刷手机有意思多啦。

#手工编织#生活记录#手工小物件

【引流篇】

第 9 章
热点、社群引流没效果？AI 来助力

在流量竞争白热化的当下，传统热点追猎与社群运营正面临“投入高、转化低”的困境——盲目跟风热点难出圈，粗放式社群运营用户黏性差。本章将提供一套“技术 + 策略”双轮驱动的引流革新方案，助力运营者突破增长瓶颈，实现低成本高效获客。

9.1 热点引流，把握引流关键时机

本节将系统解析热点引流的底层逻辑，构建从趋势预判、创意引爆到私域沉淀的完整链路，揭示如何借势热点打造现象级传播。

9.1.1 热点引流的定义与特点，把握关键时机

扫码看教学视频

热点引流是一种利用当下热门话题、事件或趋势来吸引流量并引导至特定目标（如网站、社交媒体页面、产品页面等）的营销策略。它通过将品牌、产品或服务与热点话题结合，借助热点的热度和关注度，快速吸引大量用户的关注和参与，从而实现流量的快速增长和目标转化。

热点引流具有时效性、高效性、互动性、精准性、创新性等特点，具体分析如图 9-1 所示。

- 时效性 → 热点话题的热度通常具有一定的时效性，只有在热度期间进行引流才能获得较好的效果。一旦热点过去，其引流效果会大打折扣。
- 高效性 → 热点话题往往能迅速吸引大量用户的关注和参与，因此利用热点引流可以在短时间内获取大量的流量和曝光。
- 互动性 → 热点话题容易激发用户的讨论和互动欲望，通过引导用户参与话题讨论、发表评论、分享等行为，可以增强用户与品牌或产品的互动，提高用户黏性。
- 精准性 → 通过选择与目标受众相关的热点话题，可以更精准地将信息传递给目标用户，提高营销的精准度和转化率。
- 创新性 → 在利用热点进行引流时，需要有创意和独特的视角，这样才能在众多竞争者中脱颖而出，吸引用户的关注。

图 9-1 热点引流的特点

9.1.2 热点引流的商业价值，实现曝光与转化

扫码看教学视频

热点引流在商业领域具有显著的价值，主要体现在下面几个方面。

（1）品牌推广

热点话题通常具有较高的关注度和广泛的传播性，通过将品牌与热点巧妙结

合，能够在短时间内让大量用户接触到品牌信息，从而提高品牌的知名度和曝光度。例如，某奶茶品牌在小红书上利用双十一“囤货”“折扣”等热点话题，结合自身产品进行推广，吸引了大量用户的关注。

热点话题往往贴近大众生活或具有较强的情感共鸣，品牌参与其中可以拉近与用户的距离，使品牌形象更加亲和、接地气，增加用户对品牌的认同感和好感度。

（2）产品销售

热点引流能够快速将潜在客户引导至产品页面或购买渠道，促进产品的推广和销售。例如，某品牌在抖音电商上借助一款热门游戏的热点，通过月饼联名礼盒及相关营销活动，实现了新品销售额的爆发式增长，并带动了全店商品的销售。

热点话题还可以激发用户的兴趣和购买欲望，引导用户产生相关的产品需求。例如，淘宝上的“春晚同款”商品，通过热点种草的方式，让用户在关注热点的同时产生对相关产品的购买需求，从而实现从热点到消费的转化。

（3）用户互动

热点话题容易引发用户的讨论和互动，品牌可以通过发起与热点相关的互动活动，如话题讨论、投票等，鼓励用户参与，从而增强用户与品牌之间的互动和黏性。

用户在参与热点话题互动过程中产生的内容，如评论、分享、创作等，可以为品牌带来更多的流量和曝光。这些 UGC（User Generated Content，用户生产内容）内容不仅丰富了品牌的内容生态，还能通过用户的社交网络进行二次传播，扩大品牌的影响力。例如，某品牌通过鼓励用户在小红书上分享其产品使用体验和相关内容，形成了大量的 UGC，进一步提升了品牌的热度和影响力。

（4）市场洞察

热点话题往往反映了当下用户的关注点和兴趣方向，品牌可以通过对热点的观察和分析，及时了解用户的需求变化和市场趋势，为产品研发、市场定位和营销策略的制订提供参考依据。

例如，通过分析热点话题的搜索数据和用户讨论内容，品牌可以发现用户对某些功能、款式或口味的偏好，从而调整产品策略以更好地满足市场需求。

热点话题还可能揭示出一些尚未被充分开发的市场空白或潜在需求，品牌可以借此机会进行创新和拓展，开拓新的市场领域。例如，一些品牌通过关注健康、环保等热点话题，推出了相关的产品或服务，满足了用户对健康生活方式和环保产品的追求，从而在竞争激烈的市场中找到了新的增长点。

（5）竞争优势

在市场竞争日益激烈的环境下，热点引流可以帮助品牌在众多竞争对手中脱颖而出，吸引更多的用户关注和选择。当多个品牌都在争夺同一市场时，能够快速捕捉并有效利用热点的品牌往往能够获得更大的竞争优势。

热点引流为品牌提供了展示自身特色和差异化的机会。品牌可以通过对热点的独特解读和创意表达，突出自身的品牌理念、产品优势或服务特色，与竞争对手形成鲜明的对比，从而在用户心中建立起独特的品牌形象和差异化优势。

9.1.3 公域引流到私域转化，构建运营闭环

扫码看教学视频

对于运营者来说，借助热点实现从公域到私域的引流转化，需要实时监测热点、策划创意内容、设计高效的引流路径，并持续提供差异化价值，下面进行具体分析。

（1）实时监测热点

通过即时热榜、微博热搜等工具快速发现热点，结合账号定位筛选可关联话题。例如，美妆博主可关注“明星红毯造型”这类高流量事件，因其与妆容、时尚等垂直领域天然契合。

（2）策划创意内容

在内容创作上，需设计“情绪共鸣＋价值前置”的钩子。以美妆博主为例，可发布“明星同款妆容仿妆教程”短视频，结尾引导用户“私信获取完整妆容步骤”，或在直播中展示仿妆过程，口播“点击头像进入粉丝群，免费领取同款色号试色卡”。这类内容勾起用户对明星妆容的好奇心，激发他们的互动欲望，同时以“私域专属福利”为诱饵，推动用户主动转化。

☆ 专家提醒

在自媒体运营中，“钩子”（Hook）是内容设计中用来快速抓住用户注意力、激发兴趣并推动行动的关键元素。它像钓鱼时的鱼饵，目的是让用户主动“上钩”，完成从公域到私域的引流转化。

（3）设计高效的引流路径

在公域平台（如抖音、小红书），运营者可在评论区置顶“进群领取明星妆

容合集”，或在主页放置私域入口链接。值得注意的是，部分平台对引流限制严格，需采用“暗号引导”策略，如要求用户私信发送特定关键词来获取福利。

例如，美妆博主通过一场红毯仿妆直播，单日引流超 200 人加入社群，后续通过社群专属的“妆容教程合集”“新品试用”等资源，进一步提升用户黏性与转化价值。

4．持续提供差异化价值

在私域运营阶段，运营者需要持续提供差异化价值。运营者可在社群内部分享“明星化妆师独家技巧”“红毯妆容趋势分析”等深度内容，或发起“妆容预测投票”等互动活动，结合分层运营（如根据用户消费力推送不同产品）提升转化效率。同时，需合理规避风险，避免使用夸大标题或虚假信息，确保引流话术符合平台规则。

通过“热点捕捉—内容创意—精准引流—私域深耕”的闭环，运营者能以低成本实现高效获客。需要注意的是，其关键在于将热点与用户需求结合，通过私域提供持续价值，以形成长期信任关系。

9.1.4　搜索热点与分析趋势，抢占热点先机

扫码看教学视频

运营者可以将自身需求或与自媒体运营相关的关键词提供给 DeepSeek，要求 DeepSeek 运用“联网搜索”功能，实时捕捉社交媒体、新闻网站等平台上的最新热点事件和话题，并对搜索到的热点话题进行深入分析，了解其热度变化、受众特征和讨论焦点等，从而帮助运营者确定适合自己的创作角度和内容方向，相关案例如下。

提示词

请搜索当前社交媒体、新闻网站等各个平台上的最新热点事件和话题，并对搜索到的热点话题进行深入分析，了解其热度变化、受众特征和讨论焦点。注意：事件要按照热度从大到小进行排列，并用“热点事件一”的格式进行输入。

DeepSeek

以下是当前社交媒体、新闻网站等各个平台上的最新热点事件和话题的深入分析。

热点事件一：国产动画片《×××》票房突破150亿元

1. 热度变化：该片自上映以来热度持续攀升，目前累计票房已突破150亿元，跻身全球影史票房榜第五位，成为国产动画电影的又一里程碑。

2. 受众特征：主要受众为青少年和年轻观众，他们对国产动画有较高的接受度和喜爱度，同时也对电影的制作水平和故事内容有较高要求。

3. 讨论焦点：观众对电影的精彩画面、深刻主题以及角色塑造等方面进行了热烈讨论，同时也关注电影在国际上的影响力和竞争力。

热点事件二：电视剧《×××》热播

1. 热度变化：作为改编自茅盾文学奖获奖作品的电视剧，《×××》自开播以来就备受关注，热度持续走高，相关话题在社交媒体上频繁出现。

2. 受众特征：该剧吸引了各个年龄段的观众，尤其是对运河文化、历史题材感兴趣的观众群体，他们对剧中的历史背景、人物命运等有浓厚兴趣。

……

9.1.5　创意生成热点内容，打造爆款话题

扫码看教学视频

DeepSeek 可以分析抖音、小红书等平台的热门话题和趋势，并结合热门话题，帮助运营者生成紧跟时事且具有创意的文案内容，相关案例如下。

提示词

请帮我分析抖音平台的热门话题和趋势，并任意结合其中的一个热门话题，生成紧跟时事且具有创意的文案内容。

DeepSeek

以下是抖音平台的一些热门话题和趋势分析。

一、热门话题

1. 时尚穿搭类：如“多巴胺穿搭”“美拉德风格”等，这些话题往往与当季流行元素、色彩搭配等有关，容易引发用户的关注和模仿，成为时尚爱好者展示自我风格的平台。

2. 美食类：像“美食探店”“创意料理”等话题，用户喜欢分享各种美食体验、独特的烹饪方法或新奇的食材搭配，满足了吃货们的好奇心和味蕾期待。

3. 宠物类：宠物的可爱瞬间、搞笑行为以及与主人的温馨互动等都是热门内容，比如“宠物日常”“宠物训练”等话题，能吸引众多爱宠人士的关注。

4. 旅游类：包括“旅行攻略”“小众景点”等话题，用户热衷于分享自己的旅行经历、推荐各地的特色景点和美食，为其他用户提供出行灵感。

……

9.1.6　深度解读热点话题，提供独特视角

扫码看教学视频

DeepSeek 能够深度解析热点话题，帮助运营者深刻洞察热点本质，为内容创作提供独特视角，助力打造兼具传播力与价值感的优质原创内容。通过精准捕捉用户需求与情绪共鸣点，可有效提升用户互动率，实现账号曝光与粉丝增长的双重突破，相关案例如下。

提示词

你是一个运营专家，擅长深度解析热点话题，洞察热点本质，从独特视角为内容创作提供思路，打造兼具传播力与价值感的优质原创内容。请你解读一下“散散我一身班味”这个热点话题，帮助小红书运营者精准捕捉用户需求与情绪共鸣点，有效提升用户互动率，助力实现账号曝光与粉丝增长的双重突破。

DeepSeek

“散散我一身班味”这个话题之所以能引发热议，是因为它精准戳中了当下年轻人的职场痛点和生活状态，为他们提供了一个情绪宣泄的出口。对于小红书运营者来说，可以从以下几个方面精准捕捉用户需求与情绪共鸣点，打造优质内容，实现账号曝光与粉丝增长。

一、洞察用户需求与情绪共鸣点

1. 解压放松需求：打工人在高强度的工作和通勤后，急需找到一种方式来释放压力、放松身心。“散班味”成为他们追求轻松、愉悦生活状态的一种表达。运营者可以围绕如何帮助用户快速解压、恢复活力来创作内容，比如分享一些简单易行的放松技巧、适合下班后参加的休闲活动等，满足用户对解压放松的需求。

2. 生活品质提升需求：尽管工作让人疲惫，但年轻人依然渴望在有限的业余时间里提升生活品质，享受精致生活。“散班味”也体现了他们对更好生活状态的向往。运营者可以挖掘一些能提升生活品质的小窍门、好物推荐等内容，如平价但有品质的家居用品、能快速提升幸福感的生活小工具等，帮助用户在忙碌的生活中找到属于自己的小确幸。

……

9.2　社群引流，拓展用户获取渠道

本节将系统拆解 DeepSeek 赋能社群引流的全链路，从公域智能获客、私域分层运营到服务转化闭环，揭示如何利用 DeepSeek 实现用户画像精准建模、场景化内容批量生产及社群生态自运转。

9.2.1　社群引流的定义与特点，拓展获取渠道

扫码看教学视频

社群引流是一种通过各种渠道和方式，将潜在用户吸引到特定社群中的过程，旨在实现营销、推广、交流等目标。社群引流具有精准性、互动性、裂变性、可持续性、成本效益低等特点，具体分析如图 9-2 所示。

精准性 → 社群引流能够精准定位目标用户群体。通过深入了解社群成员的兴趣、需求和行为特征，可以有针对性地设计引流策略和内容，吸引到与社群主题和价值观相符的潜在用户，提高转化率和用户留存率。

互动性 → 社群为成员提供了互动交流的平台。在引流过程中，可以通过举办互动活动、话题讨论、问答环节等形式，增强与潜在用户的互动，增加他们对社群的认同感和归属感，从而提高引流效果。

裂变性 → 社群成员之间可以相互推荐和分享，形成裂变效应。当一个用户被吸引到社群后，他可能会将社群推荐给自己的朋友、同事或家人，从而迅速扩大社群的规模和影响力，实现低成本的用户增长。

可持续性 → 一旦社群建立起来并形成良好的氛围和口碑，就可以持续地吸引新用户加入。通过不断优化社群内容和运营策略，运营者应保持社群的活跃度和吸引力，实现长期稳定的引流效果。

成本效益低 → 与传统的广告投放等引流方式相比，社群引流可以降低营销成本。通过用户之间的口碑传播和自发推荐，以及社群内部的资源共享和互助，可以减少对付费推广的依赖，提高营销投入的回报率。

图 9-2　社群引流的特点

9.2.2　公域平台社群引流技巧，精准触达用户

扫码看教学视频

公域平台社群引流技巧包括内容创作与优化、互动与引导、活跃社群氛围与提升转化、数据分析与精准营销，以及一些其他技巧。这些技巧能够帮助运营者触达目标用户，从而实现精准引流，提升社群的活跃度和转化率。

（1）内容创作与优化

通过创作高质量、有价值的内容，如专业知识分享、案例分析、行业趋势等，吸引潜在客户的关注和信任，进而引导他们进入私域社群。在不同的公域平台，根据其内容机制，可以采用不同的内容形式，如抖音的短视频、今日头条的图文等。

运营者还可以在内容中设置福利，如“想要领取《××× 资料》可以在评论区回复 666”，吸引用户参与互动，然后通过私信等方式进一步引导他们加入社群。

（2）互动与引导

在公域平台与用户积极互动，通过评论、私信等方式与用户建立联系，引导

他们进入私域社群。例如，在微博、抖音等平台上与用户互动，或者在知乎、论坛等平台上参与讨论，顺势引导用户加入社群。

运营者也可以在评论区留下联系方式或引导语，但要注意避免过于直接和频繁，以免被平台判定为营销行为，同时，可以利用小号在评论区进行引流。

（3）活跃社群氛围与提升转化

通过举办限时秒杀、拼团、抽奖等活动，吸引公域用户参与，并在活动中引导他们关注公众号、加入社群或填写表单，从而进入私域。运营者也可以与其他品牌或 KOL（Key Opinion Leader，关键意见领袖）合作，借助他们的流量为自己的社群引流。

另外，运营者还可以通过积分、优惠券或礼品等奖励机制，鼓励现有用户将私域社群推荐给朋友，吸引更多新用户加入。同时，让满意的客户分享他们的使用体验或成功案例，再通过社交媒体、社群等途径传播，由此吸引更多潜在用户。

（4）数据分析与精准营销

利用 AI 对社群成员的行为数据进行分析和预测，帮助运营者更好地了解用户需求和兴趣，从而制订更为完善的引流策略，提高引流的精准度和转化率。

（5）其他技巧

其他技巧包括大小号机制、账号信息引流，以及付费工具等，具体分析如下。

①大小号机制：大号正常做内容引流，小号则用于留微信等联系方式进行引流。小号被风控到也不用怕，可以采用一些隐晦的方式来进行，如三联封面或单独封面的置顶视频。

②账号信息引流：将小红书号修改成微信号，或者在视频号的账号简介中留下微信号、关联公众号等，利用福利钩子引导用户关注。

③付费工具：在公域平台投放定向广告，通过精准定位吸引感兴趣的用户点击广告，进入私域平台。

9.2.3　私域社群的转化与留存，提升用户价值

扫码看教学视频

在私域社群的运营中，有效的转化与留存策略对于运营者来说至关重要，不仅能帮助运营者提升用户生命周期价值，通过精准触达实现高复购率，还能通过分层运营和场景化内容设计增强用户黏性。图 9-3 所示为私域社群的转化与留存策略。

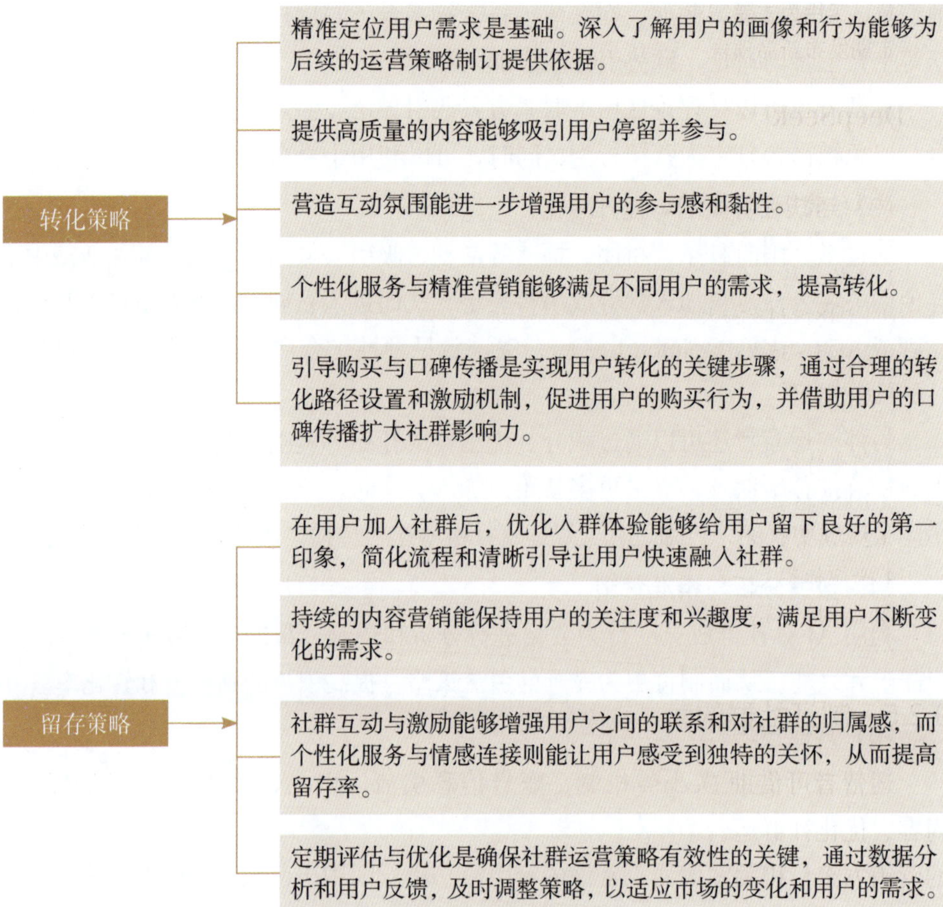

图 9-3　私域社群的转化与留存策略

9.2.4　生成社群受众的定位，明确用户画像

扫码看教学视频

DeepSeek 可以帮助运营者生成社群受众的定位，从而构建详细的用户画像，通过多维度数据分析，精准识别用户特征，为社群运营提供有力支持，相关案例如下。

提示词

你是一个专业的社群运营助手，现在需要为抖音平台上的电商类社群账号“潮趣优品”生成社群受众的定位，并构建详细的用户画像。“潮趣优品”专注于潮流服饰、创意家居、数码配件等时尚生活用品的推荐与销售，拥有10万＋粉丝，其中核心粉丝（关注30天以上且互动频繁）占30%。账号的目标受众是18～35岁的年轻消费者，以时尚、创意、实用为主要需求。账号通过短视频展示商品的使用场景和独特卖点，在粉丝群中会定期发布新品预告、专属优惠券、互动话题等，增强用户参与感和忠诚度。

DeepSeek

以下是针对抖音电商账号“潮趣优品”的社群受众定位与用户画像分析，结合其业务特性及运营目标设计而成。

一、社群受众定位

1. 年龄分层

（1）18～24岁：大学生、职场新人，追求个性表达与性价比；

（2）25～35岁：有一定经济基础的职场人群，注重品质与生活美学。

2. 地域分布

一线及新一线城市为主（如北上广深、杭州、成都），三四线城市潜力用户逐步增长。

3. 消费特征

（1）价格敏感区间：50～500元（偏好轻奢平价、高颜值实用品）；

（2）决策驱动：场景化种草>品牌忠诚度，易被短视频内容转化。

4. 兴趣标签

潮流穿搭、家居改造、科技尝鲜、社交分享、网红打卡、性价比消费。

……

9.2.5　制订社群的营销方案，实现社群盈利

扫码看教学视频

运营者可借助DeepSeek从精准定位目标客户、制订个性化营销内容、优化社群运营策略、实施精准营销和效果评估等方面制订社群的营销方案，相关案例如下。

提示词

为美食类自媒体账号“美食探索家”制订社群营销方案，该账号专注于分享各地美食、烹饪技巧与进行餐厅推荐，拥有一个名为“美食探索家部落”的社群，成员约5000人，涵盖美食爱好者、烹饪达人、餐厅经营者等，年龄主要为20～45岁，活跃度较高，日常交流频繁。方案需涵盖用户画像分析、个性化营销内容创作、社群运营优化、精准营销实施及效果评估等环节，确保方案具有针对性和可操作性，能够有效提升社群活跃度与用户忠诚度，实现营销目标。

DeepSeek

“美食探索家”社群营销方案

一、目标

提升社群活跃度与用户忠诚度，打造高黏性美食兴趣圈层，赋能品牌商业盈利（广告、课程、探店合作等）。

二、用户画像与需求分层
1. 用户画像细化
（1）美食爱好者（占比50%）
- 核心需求：获取新潮美食资讯、简单食谱、高性价比探店推荐。
- 行为特征：高频浏览内容，喜欢晒图打卡，热衷互动评论。
（2）烹饪达人（占比30%）
- 核心需求：学习进阶烹饪技巧、测评小众食材、参与厨艺交流。
- 行为特征：主动分享经验，积极参与挑战类活动。
（3）餐厅经营者（占比20%）
……

9.2.6 制订社群服务计划，增强用户黏性

扫码看教学视频

运营者可以借助 DeepSeek 制订社群服务计划，通过其数据分析能力精准定位用户需求，自动化产出个性化互动素材，并利用社群运营模板库快速搭建用户分层管理框架，增强用户黏性，相关案例如下。

提示词

请你以一个科技账号的社群为例，生成一份社群服务计划，涵盖前期筹备、日常运营、成员互动、活动策划、个性化服务、效果评估与优化等环节。

DeepSeek

科技类社群服务计划
适用对象：科技领域垂直账号（如AI、编程、硬件、互联网等）的线上社群（微信/QQ群、Discord、Slack等）。
一、前期筹备
1. 社群定位与目标
（1）核心定位：明确社群主题（如“AI技术交流”“开源开发者联盟”），突出差异化价值（如“每日前沿论文解读”“大厂工程师答疑”）。
（2）用户画像：梳理目标人群特征（职业、兴趣、痛点），例如“30%为程序员，40%为科技爱好者，需求集中在技术答疑与资源获取”。
（3）平台选择：根据用户习惯选择主阵地（如微信生态适合长内容+轻互动，Discord/Slack适合高频技术讨论）。
2. 内容与资源储备
（1）内容库搭建：整理技术文档、行业报告、工具包等资源，提前储备1个月的干货内容。
（2）工具准备：社群管理工具（如Wetool、Chatfuel）、自动化回复机器人、数据分析后台。
……

9.2.7　引导社群流量转化，提升运营效果

扫码看教学视频

社群流量转化是指通过社群这一特定渠道，将社群成员或潜在用户引导至特定的目标行为或商业结果的过程。它涉及在社群中建立信任、提供价值内容、互动交流以及精准营销等环节，以实现用户的活跃度提升、购买转化、品牌传播等目标。

运营者可借助 DeepSeek 生成有价值的内容，如专业知识、行业资讯、使用教程等，吸引用户关注，建立信任关系，进而引导用户进行购买或其他目标行为；还可以利用 DeepSeek 生成各种活动方案，如限时折扣、秒杀、拼团等，刺激用户购买，提高转化率；或者利用 DeepSeek 解答用户的疑问、针对用户反馈进行优化，增强用户参与感和归属感，促进用户转化，相关案例如下。

提示词

请你结合自身在内容创作、活动策划、用户互动等方面的优势，从吸引用户、建立信任、促进转化、用户留存与传播等环节，详细阐述如何助力运营者将社群流量转化，给出具体的策略、方法、示例及注意事项等。

DeepSeek

以下将从内容创作、活动策划、用户互动三大核心能力出发，结合社群运营的完整生命周期（吸引→信任→转化→留存→传播），系统化梳理流量转化策略，并附具体案例及避坑指南。

一、吸引用户：打造高价值流量入口

策略核心：精准匹配需求+低门槛获得感

1. 钩子内容设计

（1）方法：创作行业痛点解决方案（如《教培行业朋友圈裂变模板》《私域促单5步话术》），以「免费资料包」形式在公域平台（抖音/知乎/小红书）分发，引流至社群。

（2）示例：教育社群可设置「学科提分指南+100套名师课件」组合包，需扫码入群领取。

（3）注意：资料包需包含30%干货+70%需付费解锁内容，避免用户领完即走。

2. 场景化引流活动

（1）方法：策划「限时主题打卡」（如7天健身挑战/21天读书营），通过轻量级任务吸引参与，完成任务后解锁进阶权益（如1V1咨询/优惠券）。

（2）示例：美妆社群发起「7天素人改造计划」，参与者需每日上传护肤打卡照，完成者获赠小样试用装。

（3）注意：任务难度需阶梯化设计，首日任务完成率需>80%，以建立用户信心。

……

9.3 本章小结

本章首先介绍了热点引流的核心方法论，围绕“时机把握—价值转化—闭环构建”的逻辑展开，详细解析了热点追踪、内容创意生成及深度话题运营策略，帮助读者掌握借势热点的全流程操作。

随后聚焦 DeepSeek 赋能的社群引流体系，从用户画像定位、跨平台引流技巧到私域转化留存，系统阐述了社群生态构建的七大关键环节，突出 DeepSeek 在流量精准分发、服务智能化和营销方案优化中的驱动作用，形成“技术＋策略”的社群运营升级路径。

9.4 课后实训

扫码看教学视频

鉴于本章知识的重要性，为了帮助读者更好地掌握所学知识，本节将通过课后实训，帮助读者进行简单的知识回顾和补充。

实训任务：利用 DeepSeek 制订一份详细的社群营销方案，以提升社群活跃度与用户忠诚度，相关案例如下。

提示词

为宠物类自媒体账号“萌宠乐园”制订社群营销方案，该账号专注于宠物饲养知识、宠物用品推荐与宠物趣事分享。其拥有一个名为“萌宠乐园之家”的社群，成员约4000人，涵盖宠物主人、宠物饲养新手、宠物摄影师等，年龄为18～45岁，活跃度高，成员常交流宠物饲养经验与趣事。方案需涵盖用户画像分析、个性化营销内容创作、社群运营优化、精准营销实施及效果评估等关键环节。

DeepSeek

以下是为“萌宠乐园”自媒体账号制订的社群营销方案：

一、用户画像分析

“萌宠乐园之家”社群成员约4000人，年龄在18～45岁之间，涵盖宠物主人、宠物饲养新手、宠物摄影师等，成员活跃度高，常交流宠物饲养经验与趣事。

二、个性化营销内容创作

1. 知识科普类：针对宠物饲养新手，创作宠物饲养基础知识、常见疾病预防与治疗、宠物行为解读等内容，以图文或视频形式发布，如“新手养猫必知的五大要点”。

2. 产品推荐类：根据宠物不同阶段需求，推荐合适的宠物用品，如幼犬奶粉、成犬狗粮等，同时分享使用心得和购买建议，如“最适合小型犬的十大狗粮品牌”。
3. 趣事分享类：鼓励成员分享宠物的搞笑瞬间、特殊才艺等，制作成图文或视频内容进行展示，如“萌宠搞笑瞬间大赏”，增强用户互动与情感连接。
4. 生活化内容：分享宠物与主人的日常生活点滴，如宠物陪伴主人旅行、过生日等场景，拉近与用户的距离，让用户感受到宠物是生活的一部分。
……

第 10 章
直播、广告引流，轻松实现流量盈利

本章将详细介绍直播与广告两大引流利器，帮助运营者轻松实现流量向收益的转化。通过直播引流，深挖用户价值；同时，借助广告引流，提升精准度，扩大品牌影响力。无论是直播还是广告，本章都将为运营者提供实用的策略和技巧，助力其打造爆款内容，实现流量盈利的最大化。

10.1　直播引流，开启直播营销新纪元

通过直播，运营者能够与消费者实时互动、展示产品，构建与消费者的深度连接。本节将深入探讨直播引流的定义、特点及其在不同平台上的运用技巧，同时揭秘私域直播的转化策略与智能脚本生成方法，旨在帮助运营者优化直播效果，提升营销效果。

10.1.1　直播引流定义与特点，了解直播引流

扫码看教学视频

直播引流是指通过直播平台吸引大量潜在用户，并将这些流量引导至特定的目标，如网站、店铺或其他平台，以实现产品推广、品牌宣传、销售增长等目的。它利用直播的传播力和影响力，吸引潜在客户并将其转化为实际消费者。

直播引流具有实时互动性、真实性与直观性、精准性、裂变传播性及数据可分析性等特点，具体分析如图 10-1 所示。

实时互动性	观众可以通过弹幕、评论、提问等方式与主播实时互动，主播能够及时回应观众的问题和需求。
真实性与直观性	主播在直播中可以真实地展示产品的外观、功能、使用方法等各个方面，观众能够清晰地看到产品的实际状况。主播还可以还原产品在实际使用场景中的状态，增强用户对产品的信任度。
精准性	直播平台能够根据用户的浏览历史、兴趣爱好、消费行为等多维度数据，精准地将直播内容推送给可能感兴趣的用户，还可以根据目标受众的特点和需求，定制个性化的直播内容。
裂变传播性	观众在观看直播过程中，有时会主动与身边的朋友分享，从而实现流量的裂变式增长。一些直播平台会根据直播的热度、质量等因素，将优质的直播推荐给更多用户，进一步扩大了直播的传播范围。
数据可分析性	直播平台通常会提供详细的数据分析工具，帮助主播和运营者了解观众的行为。通过对直播数据的分析，主播可以清晰地看到每次直播的引流效果、转化率等指标，从而及时发现问题，总结经验，不断优化直播方案，提高引流的效率和质量。

图 10-1　直播引流的特点

10.1.2 公域平台直播引流技巧，扩大影响力

扫码看教学视频

在数字化时代，直播引流已成为各行业拓展市场、触达客户的核心策略之一。它借助直播平台的庞大用户基础与强大互动性，为品牌和商家搭建起与消费者实时沟通的桥梁。直播引流不仅能够高效地将公域平台的流量转化为私域流量，还能通过精准定位与深度运营，实现用户留存、转化与复购的全链路优化。

下面介绍一些公域平台的直播引流技巧，助力运营者扩大账号影响力，同时帮助企业实现业务增长。

（1）优化内容策略

运营者可以提前发布精心制作的直播预告，突出亮点、悬念和福利，吸引用户关注。例如，美妆直播可展示神秘新品和独家折扣。

运营者也可以将直播内容系列化，定期播出，培养用户观看习惯，如每周进行“美食探索”直播，每次聚焦不同地方的特色美食。

运营者还可以将热点话题融入直播内容，借助热点的热度和关注度，吸引更多用户，如在重大节日开展相关主题的直播活动。

（2）提升曝光机会

运营者可以在直播标题、描述等地方合理设置热门关键词，提高搜索排名，增加曝光。例如，直播带货可使用“新品”“限时优惠”等词。

运营者也可以运用话题标签，在发布与直播相关短视频或图文时，添加热门话题标签，扩大传播范围，如健身直播可带“# 健身日常”“# 减肥打卡”等。

另外，运营者还可以适时使用平台付费推广工具，如抖音的 DOU +、快手的粉条等，快速提升直播曝光度，吸引更多流量。

（3）强化互动与社交传播

运营者可以在直播中设置抽奖、问答、投票等互动环节，增强参与感，提高留存率和转化率。

运营者也可以鼓励观众分享直播给好友，通过设置分享奖励等，扩大直播的传播范围。

另外，运营者还可以与其他同领域或互补领域的主播、网红、明星等进行合作，互相推荐，实现粉丝共享，扩大观众群体。

（4）持续运营与优化

运营者可以利用平台数据分析工具，关注直播数据，如观看人数、互动率

等，依数据优化内容和策略。同时，重视粉丝的反馈和需求，建立良好的粉丝社群，增强粉丝黏性和忠诚度，促进粉丝的重复观看和转化。

运营者自身也可以时刻关注行业动态和平台规则变化，不断学习新的直播技巧和方法，保持直播的新鲜感和吸引力。

10.1.3　私域直播的转化策略，深挖用户价值

扫码看教学视频

与公域平台的广泛触达不同，私域直播更注重精准触达与深度互动，它搭建起了一座品牌与用户之间的专属沟通桥梁，为用户提供了更加个性化、专属化的体验。

私域直播的核心在于将已经积累的私域流量进行深度挖掘与价值释放，通过巧妙的策略与技巧，将观众转化为忠实客户，进而实现商业目标的最大化。它不仅仅是产品销售的渠道，更是品牌塑造、用户关系维护以及长期价值创造的重要手段。

下面将深入探讨私域直播的转化策略，如图 10-2 所示，助力品牌与商家在私域流量的运营中实现高效转化。

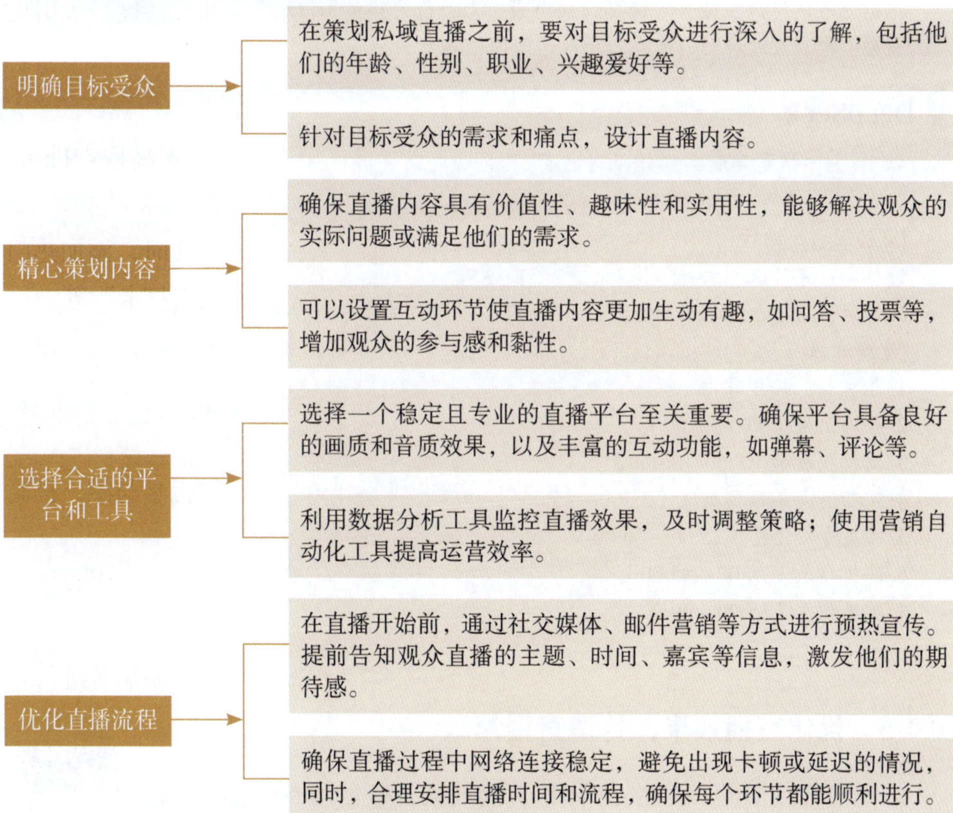

图 10-2

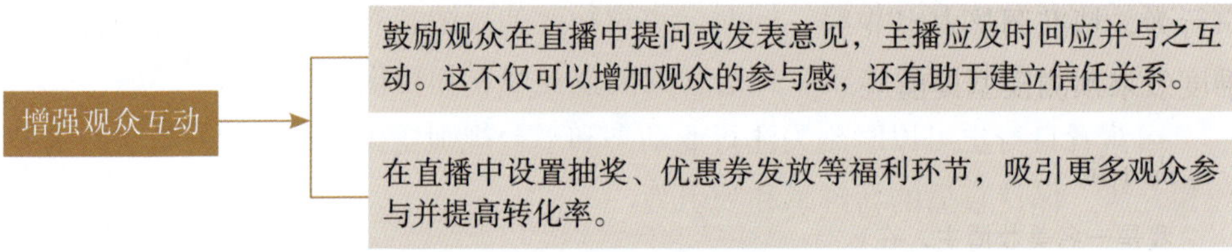

图 10-2 私域直播的转化策略

10.1.4 智能生成直播脚本，提升直播质量

扫码看教学视频

运营者可以借助 DeepSeek 智能生成直播脚本，实现高效、精准的内容策划与互动优化，相关案例如下。

提示词

本次直播的主题是“夏季新品服饰限时特卖”，目标受众是18～35岁、追求时尚、注重性价比的都市年轻群体，在抖音平台进行直播，直播风格要求热情活泼、时尚有活力，能够充分展示服饰的特点和魅力，与观众建立良好的互动关系，促进商品销售。
根据这些信息，生成一份详细、具有吸引力且符合抖音平台规则的电商直播脚本，包括直播流程、互动环节、产品介绍、语言风格等方面。

DeepSeek

以下是针对"夏季新品服饰限时特卖"的抖音电商直播脚本设计，包含完整流程与合规话术。
[直播间封面设计]
1. 标题：夏日衣橱大换血！9.9元起秒杀爆款
2. 封面：主播手持“全场3折起”手举牌＋多套新品穿搭拼接图
[直播流程]
1. 总时长：90分钟
2. 开场热场（0:00—5:00）
3. 主推款展示（5:00—25:00）
4. 互动游戏＋福利放送（25:00—35:00）
5. 品类专场轮播（35:00—70:00）
6. 终极秒杀（70:00—85:00）
7. 收尾预告（85:00—90:00）
……

10.1.5 优化直播效果，打造直播爆款

扫码看教学视频

运营者可以借助 DeepSeek 优化直播效果，通过实时数据分析用

户行为，精准调整内容节奏，结合智能推荐算法实现流量精准分发，还能通过多维度效果预测模型提前规划高转化选题，相关案例如下。

提示词

我是一名美妆博主，在直播中，我经常遇到了以下问题：
1. 实时数据分析显示用户互动冷淡，内容节奏偏慢，导致观众流失率高；
2. 流量分发不精准，吸引的观众与目标受众不匹配；
3. 选题缺乏吸引力，难以激发观众购买欲望。
请针对我遇到的问题，为我提供一些优化直播内容节奏、实现精准流量分发以及策划高转化选题的建议，以提升直播效果。

DeepSeek

针对您在直播中遇到的问题，以下是一些优化建议。
一、优化直播内容节奏
1. 合理规划直播环节：可以参考2小时SOP（Standard Operating Procedure，标准操作程序），如0—20分钟进行抽奖+爆款秒杀，拉高在线人数；20—60分钟深度讲解利润款产品，提升转化率；60—90分钟连麦专家答疑，建立信任感；90—120分钟返场促销＋逼单，冲刺GMV（Gross Merchandise Volume，商品交易总额）。
2. 丰富互动环节：每10～15分钟设置一次互动，如发放福袋、投票、问答等，增加观众停留时长。还可以通过设置逼单话术，如“最后3分钟！拍下送价值XXX元的产品！”来引导观众下单。
3. 控制产品讲解时间：每个产品讲解时间控制在10分钟内，避免讲解过长导致观众流失。同时，讲解时要突出产品的核心卖点、使用场景、优惠力度等关键信息。
二、实现精准流量分发
……

10.2　广告引流，提升广告精准度

本节从广告引流的定义出发，结合AI技术、公域与私域平台的引流技巧，以及智能广告内容的创作，一步步揭示如何实现广告的精准定位与高效转化，无论是品牌塑造、促销推广还是带货销售，都能精准触达目标受众，引领营销新风尚。

10.2.1　广告引流的定义与特点，把握营销方向

扫码看教学视频

广告引流是指通过各种广告手段和渠道，将潜在客户或目标受众吸引到特定的产品页面、网站、社交媒体账号或其他营销渠道，以实现营销目标的过程。

常见的广告引流方式有搜索引擎广告引流、社交媒体广告引流、视频平台广告引流、电子邮件广告引流及户外广告引流等。

广告引流具有精准性、广泛性、可量化性、互动性、灵活性及即时性等特点，具体分析如图 10-3 所示。

- 精准性 → 广告引流能够依据用户的多种信息，如兴趣、行为、地理位置等，将广告精准地展示给目标受众，提高广告的点击率和转化率。
- 广泛性 → 通过各种广告平台和渠道，广告引流可以覆盖大量的潜在客户，能够触达不同年龄、性别、地域和兴趣爱好的人群。
- 可量化性 → 广告引流的效果可以通过各种数据分析工具进行监测和评估，如展示量、点击量、转化率、投资回报率等指标，运营者可以根据这些数据及时调整广告策略和优化广告创意，以提高引流效果。
- 互动性 → 现代广告引流还具有很强的互动性。例如，社交媒体广告允许用户点赞、评论、分享，视频广告可以设置互动环节等。
- 灵活性 → 运营者可以根据不同的营销目标、预算和市场情况，选择合适的广告形式、投放渠道和投放时间，制订个性化的广告策略。
- 即时性 → 广告引流能够快速地将潜在客户引导至目标页面，与传统营销方式相比，具有更短的营销周期和更快的市场反应速度。

图 10-3　广告引流的特点

10.2.2　AI 在广告引流中的应用，提升精准度

扫码看教学视频

AI 在广告引流中的应用，不仅提高了广告的精准度和效果，还降低了广告成本，为运营者带来了更大的商业价值，下面介绍一些主要的应用场景。

（1）精准定向与目标受众定位

AI 通过分析用户在社交媒体、电商平台、搜索引擎等多渠道的行为数据，如浏览历史、购买记录、搜索关键词等，构建出详细的用户画像，包括用户的兴趣、偏好、消费习惯、地理位置等，从而实现对目标受众的精准定位。

不仅如此，AI 还可以分析用户在社交媒体上对品牌和产品的评价、评论等文本信息，了解用户的情感倾向和态度，帮助广告主根据用户的情感反应调整广告策略。

另外，利用机器学习算法，AI可以根据历史数据预测用户的未来行为。例如，AI能够预测用户何时可能会对某类产品感兴趣、何时可能会进行购买等，从而提前进行广告投放和引流。

（2）广告创意生成与优化

AI能够基于大量的广告素材和用户数据，自动生成各种形式的广告创意，包括文案、图片、视频等。例如，谷歌的响应式搜索广告可以测试不同的标题和描述组合，找到效果最佳的创意。

AI还可以通过分析用户对不同文案和视觉元素的反应，自动优化广告内容，使其更符合目标受众的喜好，提高广告的点击率和转化率。

（3）个性化推荐与用户体验提升

AI根据用户的兴趣和行为，为每个用户推荐最符合其偏好的广告，提高用户的参与度和广告的点击率。AI还可以生成个性化的广告内容，如根据用户的地理位置、天气情况等动态调整广告中的信息，使广告更贴近用户的生活场景。

（4）预测与趋势分析

AI可以分析大量的市场数据和消费者行为数据，预测市场趋势和消费者需求的变化，帮助运营者提前布局广告策略，抓住市场机会。

通过分析历史数据和当前的市场情况，AI可以预测广告投放的效果，为运营者提供决策支持，帮助其合理分配广告预算。

10.2.3　公域平台广告引流技巧，扩大覆盖范围

扫码看教学视频

在当今数字化营销的时代背景下，公域平台作为企业获取流量和曝光的重要渠道，其广告引流的作用愈发关键。除常见的内容创作与优化、互动与用户引导等常见的技巧外，下面将介绍一些其他的广告引流技巧，如图10-4所示，帮助运营者在这些平台上实现更高效的引流，为后续的营销转化奠定坚实基础。

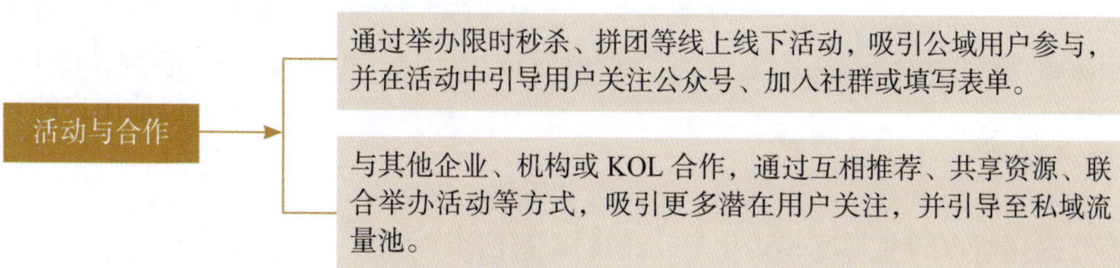

图10-4

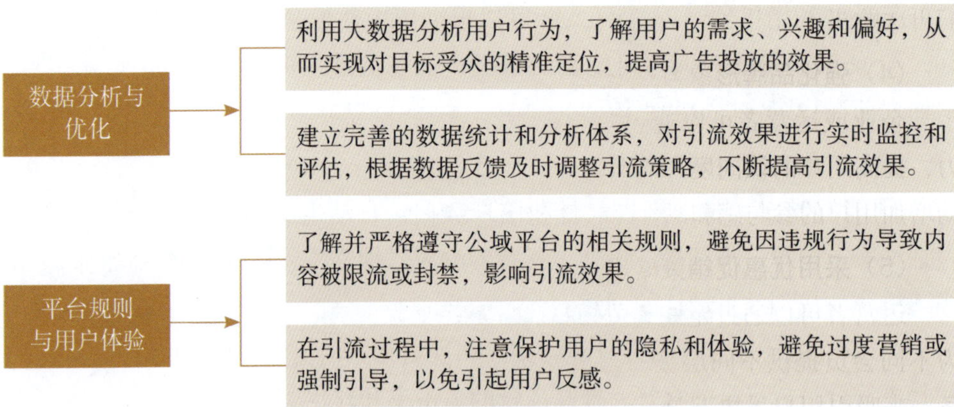

图 10-4　其他的广告引流技巧

10.2.4　私域广告的转化策略，提升投资回报

扫码看教学视频

在数字化营销蓬勃发展的今天，私域流量已成为企业精细化运营、提升用户黏性和实现商业价值最大化的重要阵地。私域广告作为连接企业与用户的关键桥梁，其转化策略的制订与实施直接关系到营销效果和业务增长。

下面将深入探讨私域广告的转化策略，旨在帮助运营者和企业在激烈的市场竞争中脱颖而出，实现私域流量的高效转化和商业价值的持续释放。

（1）精准定位目标客户群体

通过市场调研和数据分析，运营者可以了解目标客户群体的需求、兴趣、行为习惯等，以便制订更精准的营销策略。

运营者还可以整合用户行为数据，创建详细的用户画像，包括用户的地理位置、性别、年龄、消费习惯等，实现精准营销。

（2）优化用户体验

优化用户体验包括两个方面：一是优化购物流程，减少用户购买的阻力，如一键支付等，降低购物难度，提升转化率；二是提供详细的产品信息、用户评价和试用体验，帮助用户更好地了解产品，增强用户的信任感，促使他们做出购买决策。

（3）提供个性化服务

平台或运营者可以根据用户的行为和偏好，推送符合其兴趣和需求的广告内容，提高用户的参与度和转化率；还可以基于用户画像，为其提供个性化的促销方案，如针对长期未购买的用户，提供专属的回馈折扣或新品试用体验，激励他们再次购买。

（4）强化品牌形象与互动

企业或运营者可以通过打造个人IP或品牌IP来增强品牌的吸引力和号召力，提高用户的认同度和购买意愿，同时通过直播、抽奖、拼团、分销等互动活动增加用户的参与感和黏性，进而提高品牌忠诚度。

（5）采用优惠促销策略

运营者可以通过定期为用户提供专属的优惠券或折扣，以及构建会员体系，为不同会员提供不同层级的专属权益，如高级会员享受更多的优惠、折扣和服务，来吸引用户尽快下单，激励用户升级为高级会员，并提高其消费频率。

10.2.5 智能生成广告内容，创作吸引人的广告

扫码看教学视频

运营者可以借助DeepSeek智能生成广告内容，从而高效精准地定位目标受众，提升广告创意的多样性和个性化水平，进而增强广告的吸引力和转化率，优化整体营销效果，相关案例如下。

提示词

你是一个广告创意专家，现在需要为一款智能健身手环生成广告内容。这款手环具有心率监测、运动追踪、睡眠分析、防水设计等功能，目标受众是18～40岁、注重健康和时尚的都市人群。请为这款智能健身手环提供广告创意方向、生成吸引人的广告文案，包括社交媒体文案、产品介绍文案等，并推荐合适的广告投放渠道和最佳投放时间。

DeepSeek

以下是为这款智能健身手环提供的广告创意方向、文案以及投放策略。

一、广告创意方向

1. 时尚与健康的完美融合：强调手环不仅是一款科技产品，更是时尚配饰，将健康与时尚相结合，吸引注重形象和健康的都市人群。

2. 全天候健康守护：突出手环的健康监测功能，如心率监测、睡眠分析等，传达出无论白天黑夜，手环都能时刻守护用户健康的理念。

3. 运动达人的必备神器：针对热爱运动的目标受众，展示手环在各种运动场景中的出色表现，如跑步、游泳、健身等，体现其专业性和实用性。

4. 个性化与便捷性：强调手环可以根据用户需求提供个性化的健康建议和运动计划，同时操作简单，方便快捷，适合忙碌的都市生活节奏。

二、广告文案

1. 社交媒体文案

……

10.2.6 精准定位广告投放，实现广告精准触达

扫码看教学视频

DeepSeek 能够精准定位广告投放，通过分析用户行为数据、兴趣偏好及历史互动记录，实现个性化广告推送，从而提高广告转化率和用户满意度，相关案例如下。

提示词

我拥有一个名为“绿源生活”的健康食品品牌账号，请你帮我在广告投放中精准定位目标用户群体，通过分析用户行为数据、兴趣偏好及历史互动记录，详细阐述如何实现个性化广告推送。

DeepSeek

以下是基于用户行为数据、兴趣偏好及历史互动记录，为“绿源生活”健康食品品牌账号实现个性化广告推送的详细方案。

一、目标用户群体定位

1. 基于用户行为数据

（1）浏览行为：分析用户在平台上的浏览记录，如经常浏览健康食品相关的内容，包括健康食谱、营养知识、健身饮食等，表明他们对健康饮食有较高的关注度，是潜在的目标用户。

（2）购买行为：查看用户的历史购买记录，若用户曾购买过健康食品，如有机蔬菜、全麦面包、坚果等，说明他们对健康食品有实际需求，是较为精准的目标用户群体。

（3）互动行为：关注用户与健康食品相关帖子的互动情况，如点赞、评论、分享等，这些行为能反映用户对健康食品的兴趣程度和参与意愿。

2. 基于兴趣偏好

（1）健康意识：对健康生活方式有浓厚兴趣的用户，如关注健康养生、运动健身、疾病预防等话题的人群，他们更倾向于选择健康食品来支持自己的健康目标。

……

10.2.7 生成品牌广告，塑造品牌形象

扫码看教学视频

品牌广告是指企业或品牌为了提升品牌知名度、塑造品牌形象、传递品牌价值观而进行的广告宣传活动。它通常不直接以销售产品为目的，而是通过长期的品牌信息传播，让目标受众对品牌产生认知、好感和信任，从而在消费者心中树立独特的品牌形象和品牌地位。品牌广告注重创意、情感共鸣和品牌元素的展示，以增强品牌的影响力和竞争力。

运营者可以借助 DeepSeek 生成品牌广告，以精准定位目标受众，提升广告创意与个性化体验，从而有效增强品牌影响力并促进销售转化，相关案例如下。

提示词

FitLife是一家专注于为年轻都市群体提供时尚、舒适且高性能运动装备的品牌，其核心产品包括运动鞋、健身服装和智能运动配件。品牌主打活力、科技感和个性化，致力于帮助消费者在城市生活中随时开启运动模式，实现自我突破。你是一个专业的广告策划专家，请根据这些信息，为FitLife设计一套品牌广告方案，包括广告主题、目标受众特征、创意表现形式、个性化体验设计以及预期达成的品牌影响力和销售转化目标。

DeepSeek

FitLife品牌广告方案

一、广告主题

城市运动新风尚，FitLife与你同行

二、目标受众特征

1. 年龄范围：20～35岁

2. 兴趣爱好：热爱运动、追求时尚、注重生活品质

3. 消费习惯：注重品牌、质量、性价比和设计感

4. 生活方式：活跃于城市生活，常在社交媒体分享生活点滴，追求个性化与独特体验

三、创意表现形式

1. 广告视频：制作一系列短视频，展示年轻人在城市不同场景中穿着FitLife运动装备运动的活力画面，如在城市公园晨跑、在健身房锻炼、在街头篮球场竞技等，突出产品时尚、舒适和高性能的特点。同时，配合动感的音乐和富有感染力的旁白，传递品牌活力、科技感和个性化的形象。

……

10.2.8　生成促销广告，提升销售业绩

扫码看教学视频

促销广告是指商家或企业为了推广产品或服务，通过各种媒体渠道向消费者传递促销信息，以刺激购买欲望、增加销量的一种广告形式。它通常包含产品或服务的优惠信息，如打折、满减、赠品、限时折扣等，目的是吸引消费者在促销期间购买产品或服务。

运营者可以在DeepSeek的输入框中输入产品特点、目标受众和促销目标等信息，利用其强大的语言生成能力，快速产出吸引人的广告语和宣传内容。同时，DeepSeek还可以帮助分析市场趋势和消费者偏好，使促销广告更贴合市场需求和消费者心理，从而提高广告的点击率和转化率，实现更好的营销效果，相关案例如下。

提示词

为一款高端护肤套装生成一份吸引人的促销广告文案，目标受众是25～40岁的女性，促销目标是在即将到来的节日中提高销量。请突出产品的独特卖点，如天然成分、显著效

果等，并设计有吸引力的促销口号和内容，如限时折扣、赠品等。

DeepSeek

［节日焕新肌，奢宠每一刻］

在这个特别的节日里，给肌肤一场奢华的蜕变之旅。×××高端护肤套装，专为25～40岁追求精致美的您量身打造，用天然精粹与前沿科技，开启肌肤的焕新之门。

我们的护肤套装蕴含珍稀植物精华，从深海藻类中提取的保湿因子，能深层滋润肌肤，24小时持续水润；还有珍稀白松露提取物，抗氧化能力卓越，击退暗沉，让肌肤由内而外散发光彩；更有专利胜肽科技，能有效刺激胶原蛋白生成，淡化细纹，肌肤更显紧致弹性。连续使用28天，肌肤的水分含量平均提升40%，干燥细纹明显减少，暗沉部位明亮3个色阶，肌肤如新生般透亮。

现在购买，即享超值惊喜！节日期间，凡购买×××高端护肤套装，即可享受8折优惠，同时还可获赠同系列奢华护手霜一支，让您举手投足间尽显细腻光泽。

别再犹豫，此刻下单，让肌肤在节日的氛围中，沉浸于奢华护理，收获细腻、紧致、透亮的迷人光彩，成为众人瞩目的焦点。

10.2.9 生成带货广告，助力产品销售

扫码看教学视频

带货广告是指通过网络直播、短视频等形式，由主播或特定人员对商品或服务进行展示、介绍和推荐，以吸引用户购买的一种商业活动。它融合了广告宣传和销售行为，旨在通过主播的影响力和互动性，直接促进商品的销售。

运营者可以借助 DeepSeek 生成带货广告，通过输入商品信息、目标受众和营销目标，利用其数据分析和创意生成能力，制订精准的带货策略，吸引用户购买，提高销售业绩，相关案例如下。

提示词

请根据以下产品信息，为一款蓝牙耳机生成带货广告文案，目标受众是年轻上班族，营销目标是提高品牌知名度和产品销量。要求：语言风格生动、亲切，能够激发用户的购买欲望。

产品信息：顶级音质、超长续航、时尚外观、智能连接。

DeepSeek

［你的通勤路上，怎能少了它？］

嘿，年轻的上班族们！还在为通勤路上的枯燥无味而烦恼吗？别担心，今天就给大家安利一款超棒的蓝牙耳机，让你的上班路秒变享受时光！

宝子们，这款耳机的音质简直绝了！它拥有顶级的音质表现，无论是激昂的摇滚、舒缓的流行还是充满节奏感的电子乐，都能完美呈现。戴上它，仿佛置身于私人音乐会现场，每一个音符都直击心灵，让你在拥挤的地铁里也能沉浸在音乐的海洋中，忘却周围的喧嚣。

而且，它的续航能力更是让人惊叹！超长续航时间，意味着你可以连续听歌、接打电话，而不用担心电量告急。即使是在忙碌的工作日，也能轻松应对一整天的使用需求，让你时刻保持在线状态，不错过任何重要信息。
……

10.3 本章小结

本章首先介绍了直播引流，涵盖定义、特点、公私域平台技巧及智能优化，旨在打造爆款；然后，介绍了广告引流，讲解定义、AI应用、公私域策略、智能内容创作与精准投放，通过品牌、促销和带货广告提升营销效果与产品销售。

10.4 课后实训

扫码看教学视频

鉴于本章知识的重要性，为了帮助读者更好地掌握所学知识，本节将通过课后实训，帮助读者进行简单的知识回顾和补充。

实训任务：利用 DeepSeek 生成品牌广告，相关案例如下。

提示词

BeauLuxe品牌的核心产品包括天然成分护肤系列、抗衰修复精华系列以及个性化定制护肤方案，其目标受众是25～45岁、注重生活品质、追求高效护肤与自我呵护的都市女性。品牌主打奢华、专业和个性化，致力于帮助消费者在繁忙的都市生活中找到属于自己的护肤节奏，实现肌肤的焕新与自我价值的提升。
请根据这些信息，为BeauLuxe设计一套品牌广告方案，包括广告主题、目标受众特征、创意表现形式、个性化体验设计以及预期达成的品牌影响力和销售转化目标。

DeepSeek

以下是为BeauLuxe品牌设计的一套品牌广告方案。
一、广告主题
“焕新肌肤，焕醒自我”
这一主题突出了BeauLuxe品牌的核心价值——通过奢华、专业的护肤产品和个性化定制方案，帮助都市女性在繁忙的生活中找到属于自己的护肤节奏，实现肌肤的焕新与自我价值的提升。它简洁明了地传达了品牌的核心理念，同时具有一定的吸引力和情感共鸣。
二、目标受众特征
1. 年龄：25～45岁
2. 性别：女性
……

【盈利篇】

第 11 章
AI 助力新媒体、自媒体盈利，开启财富大门

本章将通过系统化方法论与实战案例，揭示 AI 驱动下的商业价值裂变路径，助力运营者突破流量瓶颈，构建可持续的盈利生态。在 AI 重塑行业的浪潮中，只有掌握技术与商业的双重逻辑，方能抢占先机，开启财富增长的新纪元。

11.1　AI助力新媒体盈利，开启财富大门

AI技术凭借其强大的数据分析、内容生成与精准推荐能力，为新媒体行业带来了前所未有的机遇。本节将介绍6种运用AI进行盈利的方法，助力新媒体在激烈的市场竞争中脱颖而出，实现商业价值的飞跃。

11.1.1　开设AI教学课程，开启新媒体教育盈利

扫码看教学视频

如果运营者想通过开设AI教学课程开启新媒体教育的盈利，这件事的核心不是“AI”本身，而是自己能不能真正解决用户的问题，同时用新媒体的手段把价值传递出去。AI只是一个工具，真正决定成败的，是自己能否抓住用户的需求、设计出有吸引力的课程，并用高效的方式触达目标人群，下面介绍几个具体的方法。

（1）课程内容必须直击用户痛点，解决实际问题

AI课程的市场需求很大，但用户的需求是分层的。有人想学技术，有人只想用AI工具提升效率，还有人只是想跟上潮流不被落下。运营者需要明确自身的目标用户是谁，然后设计课程内容去解决他们的具体问题。

例如，现在很多人在新媒体领域工作，他们需要的是“怎么用AI工具快速精美地绘画”“如何用AI制作短视频”这样的实操性课程。像《AI绘画＋短视频：高手训练营》这种课程，如图11-1所示，就非常贴近实际需求，因为它直接告诉用户：学完之后，你能更快、更高效地完成工作。

但如果课程只是泛泛而谈，比如“AI是什么”“未来AI会如何改变世界”，那用户可能听完就忘了，根本不会觉得有用。课程内容必须实用、具体，最好还能结合真实案例，如“用AI生成公众号爆款文章”“用AI工具制作短视频脚本”，这样用户才会觉得物有所值。

（2）盈利的关键是分层设计，别只盯着短期收益

AI课程的盈利模式其实很灵活，但运营者需要想清楚：是想靠低价吸引大量用户，还是通过高价值课程深耕核心用户，或者两者结合。最好的方式是分层设计，既满足不同用户的需求，又能使收入最大化，如图11-2所示。

另外，社群运营和分销模式也是不错的补充。通过社群，运营者可以持续输出价值，同时利用用户裂变扩大影响力。

图 11-1 《AI 绘画＋短视频：高手训练营》课程

图 11-2 AI 课程分层设计案例

（3）新媒体推广是核心，AI 工具是你的加速器

如果运营者想让课程被更多人看到，短视频和直播是必不可少的，它们不仅

是流量入口，还能直接转化为收益。关键在于，内容能不能在短时间内抓住用户的注意力。

例如，短视频可以用场景化的方式展示 AI 工具的效果，比如“3 秒生成一篇公众号文章”“5 分钟搞定短视频脚本”。这种直观的展示会让用户觉得“这个工具我需要”。同时，用 AI 脚本生成器和智能剪辑工具，可以快速制作高质量视频。

直播则是一个具有较高信任度的转化场景，运营者可以设计“20% 干货＋80% 福利”的结构，如先讲一些 AI 工具的使用技巧，然后推出限时优惠、1 元试听课等促销活动。

（4）别掉进“套路化”的陷阱，内容质量是生命线

AI 课程市场现在很火，但也有很多“套路化”的现象，比如放大焦虑、包装名师、内容注水等。这些课程短期可能会吸引用户，但一旦课程质量不过关，用户的信任就会崩塌，后续的运营也会变得困难。

比如，有些课程售价几十元，但内容却是网上随便一搜就能找到的，甚至直接搬运了免费讲座的 PPT。这种做法不仅损害了用户利益，还让整个行业的信任度下降。所以，运营者所开设的 AI 教学课程必须有真正的价值。

11.1.2　打造爆款 IP，树立自媒体盈利标杆

扫码看教学视频

IP 的原意是知识产权，但在互联网和新媒体领域中，IP 更多地被理解为具有独特魅力和广泛影响力的品牌形象、内容创作或人物形象。它可以是一个故事、一个角色、一个符号、一个设计理念，或者是任何具有独特性和吸引力的文化产品。

新媒体爆款 IP 则是指在新媒体平台上，通过高质量的内容创作和独特的个人魅力，迅速积累大量粉丝，并产生广泛影响力的品牌或个人。运营者要想打造爆款 IP 需要不断努力提升自己的内容创作能力、加强与粉丝的互动和连接，以及探索更多的商业化盈利方式。下面介绍几个需要遵循的策略。

（1）明确 IP 定位与受众分析

要明确 IP 的定位，包括其核心价值、独特卖点和目标受众。通过深入了解目标受众的需求、兴趣和消费习惯，为 IP 内容创作提供方向。精准的定位有助于吸引并保持目标受众的关注度，为后续的商用盈利奠定基础。

（2）构建高质量内容体系

内容是 IP 的核心竞争力。要打造爆款 IP，必须注重内容的质量和创意。通

过持续产出有价值、有深度、有创意的内容，吸引并留住观众。同时，要注重内容的多样性和更新频率，以满足不同受众的需求和保持观众的新鲜感。

（3）塑造独特品牌形象

品牌形象是 IP 的重要组成部分。通过塑造独特的品牌形象，包括角色设计、视觉风格、语言风格等，使 IP 在众多竞争者中脱颖而出。独特的品牌形象有助于增强观众的认知度和记忆点，提高 IP 的知名度和影响力。

（4）多渠道推广与互动

利用社交媒体、短视频平台、直播等多种渠道进行推广，扩大 IP 的曝光度和影响力。同时，要积极与观众互动，回应评论和反馈，增强观众的参与感和归属感。通过多渠道推广和互动，吸引更多的粉丝和关注度，为商用盈利创造更多机会。

（5）合作与联动

与其他知名品牌、IP 或 KOL 进行合作，共同策划活动或内容，实现资源共享和优势互补。通过合作与联动，可以扩大 IP 的受众群体和市场空间，提高知名度和影响力。同时，也可以借助合作伙伴的资源和渠道，为商用盈利提供更多可能性。

（6）实现商用盈利

当 IP 具备一定的知名度和粉丝基础后，可以通过多种方式实现商用盈利。例如，与广告主合作进行品牌推广、开发衍生品销售、提供会员订阅服务等。同时，也可以考虑举办线下活动、开展电商业务等，进一步拓展商用盈利的空间。

（7）持续优化与创新

要持续优化和创新 IP 的内容和运营策略，通过数据分析、用户反馈等方式，了解观众的需求和变化，及时调整内容和运营策略。同时，也要不断探索新的盈利模式和内容形式，以保持 IP 的活力和竞争力。

11.1.3 实现电商卖货，助力电商盈利

扫码看教学视频

电商卖货是指通过新媒体平台来售卖各种产品，运营者可以通过在新媒体账号上发布文章、图片、短视频等形式吸引用户的点击与阅读，获得流量，然后再将这些流量引到平台或者产品店铺内，进而促成产品的交易。

为了更快吸引用户购买自家产品，仅仅依赖优质的新媒体内容是远远不够

的，我们还需要确保产品本身能够吸引用户的目光和兴趣。因此，运营者可以巧妙地利用 AI 技术生成既有趣又引人注目的产品标题，同时结合精美的产品图片，共同构建出一个引人入胜的产品展示，以激发用户的购买欲望。

例如，微信非常适合沉淀各个电商平台上获得的流量，给电商商家、实体店老板和品牌企业提供了一个全新的销售渠道，拓宽了产品的销售范围。同时，微信公众号为广大商家用户提供了信息管理、客户管理等功能，让客户管理变得更简单，交流性、互动性也变得更强，极大程度上增加了客户的黏性。

运营者可以利用“微信小店”或者第三方插件来建立自己的微信电商页面。对微信官方而言，“微信小店”将丰富平台的应用场景。运营者在微信中搭建自己的电商平台，还有助于其扩展微信公众号的业务范围，创造更多的收益。

11.1.4 投放 AI 商业广告，提升广告效益

扫码看教学视频

商业广告是很多运营者的主要获利途径，运营者通过将自己的私域流量出租给个人、平台或品牌商家，让他们在自己的新媒体账号、文章或朋友圈中投放广告，并收取一定的“流量租金”来获取收益。

商业广告盈利的关键在于流量，而流量的关键就在于引流和提升用户黏性。在新媒体平台上，商业广告盈利模式是指在原生新媒体内容的基础上，平台会利用 AI 算法模型来精准匹配与内容相关的广告。

商业广告盈利适合拥有大流量的新媒体账号，这些账号不仅拥有足够多的粉丝关注，而且他们发布的新媒体内容也能够吸引大量用户观看、点赞和转发。例如，微信广告盈利就适合有一定粉丝基础的运营者，以及开通了“流量主”功能的公众号。

“流量主”功能是腾讯为微信公众号量身定做的一个展示推广服务，公众号运营者将平台中的指定位置拿出来给广告主打广告，并收取一定费用。图 11-3 所示为微信公众号中投放的相关流量广告。

想要做流量广告，运营者要先开通微信公众号的“流量主”功能，可以进入微信公众号后台，在左侧导航栏中选择“收入变现”—“流量主”选项，如图 11-4 所示。

执行操作后，进入“流量主”功能页面，如图 11-5 所示。符合条件的运营者单击页面中的“开通流量主”按钮，即可开通该功能。对于想要通过商业广告进行盈利的运营者而言，首先要做的就是把自己的用户关注量提上去，只有把用户关注量提上去了，才能获得更多收益。

图 11-3　流量广告示例

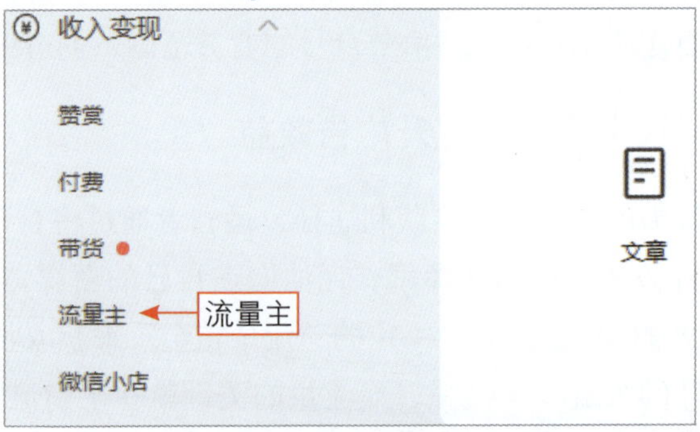

图 11-4　选择“流量主”选项

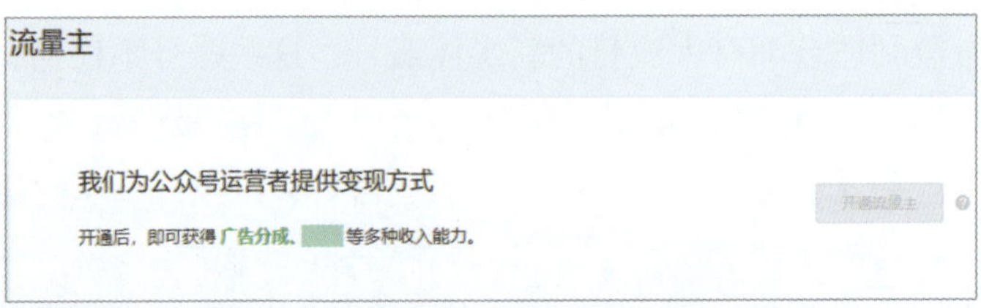

图 11-5　进入“流量主”功能页面

11.1.5　建立品牌合作，拓展合作机会

扫码看教学视频

对于运营者来说，与品牌建立合作关系是一种有效的盈利方式。通过合作，运营者可以利用自己的影响力、受众基础和内容创作能力，为品牌提供曝光、推广和用户互动等服务，从而获取经济回报。这种盈利方式通常包含广告合作、品牌代言、内容共创及线下活动合作这几种形式。

需要注意的是，建立品牌合作并实现盈利需要运营者具备一定的专业素养和谈判技巧。他们需要了解市场需求、品牌需求和自身定位，以便在与品牌合作时能够提出合理的合作方案和报价。同时，运营者还需要注重与品牌的沟通和协作，确保合作过程的顺利进行和合作效果的最大化。

总之，建立品牌合作对于运营者来说是一种有效的盈利方式。通过合理的合作策略和专业的执行能力，运营者可以实现经济收益的提升和自身影响力的扩大。

11.1.6　开通付费业务，拓展盈利新渠道

扫码看教学视频

知识付费是运营者在新媒体平台上用来获取盈利的一种方式，即运营者在平台上推送一篇文章，订阅者需要支付一定的费用，才能够阅读该文章，这种盈利模式还能够帮运营者找出忠实粉丝。

运营者如果要实施知识付费盈利模式的话，那么他就必须要确保推送的内容有价值，不然就会失去粉丝的信任。因此，知识付费盈利模式比较适合那些有图文、视频和音频等原创能力的运营者。

以微信公众号为例，运营者可以开通“付费图文”功能，注意内容必须为原创文章，且不支持转载、赞赏和插入广告。运营者可以利用 AI 技术快速获取热点，了解用户感兴趣的内容，创作出高质量、有深度的原创文章。图 11-6 所示为某个微信公众号付费内容示例。

图 11-6　微信公众号付费内容示例

注意，用户支付的金额有一定的结算账期和渠道抽成，而且支付渠道不同，账期和抽成也不相同。另外，微信平台后续也可能会收取一定的技术服务费用。

11.2 AI助力自媒体盈利，多种案例全解析

本章将介绍 AI 助力自媒体盈利的五大案例，这些案例既涵盖传统图文领域，又涉及短视频、教育产品等新兴赛道，深度展现了 AI 如何通过降低创作门槛、提升内容生产效率、拓展盈利渠道，为运营者开辟可持续盈利的新范式。

11.2.1 撰写文章，提升写作收益

扫码看教学视频

运营者可以通过多种方式利用 DeepSeek 等 AI 工具进行内容创作与盈利。例如，为企业或个人提供代笔服务，撰写博客、社交媒体帖子、产品描述等，帮助他们节省时间和精力；还可以在新媒体平台（如小红书、头条号、知乎、微信公众号等）发布文章，通过广告收入、打赏、付费阅读等方式获得收益。

对于优秀的文章，还可以考虑出售版权给出版社或媒体机构，或者在新媒体平台开设付费专栏，将部分优质文章设置为付费阅读内容，为读者提供更多有价值的内容。

为了提升创作效率与质量，运营者在开始写作前应明确文章的主题、风格和目标受众，以便 AI 更好地理解需求，相关案例如下。

提示词

请撰写一篇适合在头条号发布的具有故事性的文章，主题是《我在乡村支教的难忘经历》。文章需要结构清晰，以第一人称叙述，情节生动有趣，能够吸引读者的兴趣并引发情感共鸣。同时，请确保文章符合头条号的发布规范，避免出现任何违规内容，字数在1000字以内。

DeepSeek

《我在乡村支教的难忘经历》

我叫李明，去年刚从师范院校毕业，怀揣着对未来的憧憬和一份热血，我选择来到偏远的山区小学支教，开启了一段永生难忘的旅程。

初到学校，眼前的一切让我有些不知所措。学校条件简陋，几间破旧的教室歪歪斜斜，桌椅参差不齐，黑板也满是划痕。孩子们看到我，眼中满是好奇与欣喜，那一双双纯真的眼睛仿佛在诉说着对知识的渴望，瞬间让我原本的顾虑烟消云散。

教学的日子里，我带着孩子们在知识的海洋里遨游。可困难比我想象的要多得多。这里师资力量匮乏，我不仅要教授语文、数学，还得兼顾英语、音乐等课程。每次备课，我都得绞尽脑汁，想着怎样把知识讲得通俗易懂又生动有趣。为了提高孩子们的学习兴趣，我常常利用课余时间收集各种教具、图片，甚至自己动手制作。

……

为了进一步增加收益，运营者应多渠道发布与推广文章。例如，选择自媒体平台，如微信公众号、头条号等，适合发表原创文章，通过广告收入、赞助商合作等形式获得收益；也可以选择论坛和社区平台，如知乎、豆瓣等，适合发表具有讨论性的文章，吸引流量并获取收益。

另外，运营者还可以选择专业网站和杂志，如行业网站、专业杂志等，适合发表专业文章，通过稿费收入获得回报。同时，通过优化搜索引擎排名，提升文章在搜索引擎中的排名，增加文章的曝光度和点击率，吸引更多的潜在读者。

11.2.2　制作海报，拓展设计业务

扫码看教学视频

运营者可以在淘宝、拼多多等电商平台上开设自己的店铺，借助 AI 工具制作各种节日、活动、行业主题的海报模板，并将其作为商品出售，满足客户的个性化需求。图 11-7 所示为即梦 AI 生成的关于中秋节的海报。

图 11-7　即梦 AI 生成的关于中秋节的海报

运营者也可以通过社交媒体、专业设计平台等渠道宣传自己的 AI 海报设计

能力，吸引客户下单。根据客户的特定需求，如品牌风格、活动主题等，利用 AI 工具进行定制化设计，收取设计费用。

另外，运营者还可以与品牌商、企业等合作，利用 AI 工具制作高质量的海报用于其广告宣传，按广告投放效果或合作项目收取费用。

11.2.3 制作古诗词视频，开发教育产品

扫码看教学视频

儿童启蒙古诗词是指为儿童设计的，旨在启蒙他们对古诗词的兴趣和理解的教育内容，具有简单易懂、趣味性强、教育性与互动性的特点。

运营者制作儿童启蒙古诗词视频并实现盈利，这件事的核心在于：用内容打动人心，用技术降低成本，用运营放大价值，用盈利闭环锁住收益。这不是简单的“拍视频赚钱”，而是一个从创意到执行再到收益的完整体系。

儿童教育内容的难点在于，既要有趣又要有效。古诗词本身是高度凝练的语言艺术，但对小朋友来说可能太抽象了。所以，内容设计上一定要有创意，让诗词“活”起来。

例如，运营者可以用 AI 工具，如 DeepSeek，生成分镜脚本，设计每句诗的画面、运镜和字幕，再用即梦 AI 生成动态视频。像《相思》这样的内容，AI 可以生成一个穿着古装的小女孩手持红豆，穿梭在南国园林中的画面，同时配合诗词的节奏感，让小朋友既能看懂，又能感受到诗词的美感，效果如图 11-8 所示。

图 11-8　《相思》AI 动态视频效果展示

下面介绍使用 DeepSeek 和即梦 AI 制作儿童启蒙古诗词视频的操作方法。

步骤 01 在 DeepSeek 的提示词输入框中，输入并发送相应提示词，要求 DeepSeek 生成一个 AI 作图提示词，相关的提示词和回复内容如下。

提示词

我需要一个中国古代少女的IP形象，少女的画风是3D皮克斯风，明亮的色彩，请提供给我这个少女的AI作图提示词，提示词只需要对外貌和服装进行描写，背景简单，提示词最后要加上“全身，中国古风，明亮的色彩，3D皮克斯风”，提示词要使用自然语言，方便复制使用，用中文进行输出。

DeepSeek

一位圆脸杏眼的少女，扎着双环髻搭配飘带发饰，水汪汪的大眼睛泛着琥珀色光泽。身穿浅粉渐变齐胸襦裙，外罩绣有莲花纹的透明白纱衣，腰间系着湖蓝色丝绸飘带。袖口缀着金丝边，脚踩翘头绣花布履，耳垂戴着珍珠吊坠。整体造型轻盈灵动，衣摆随着动作扬起柔和的弧线，布料质感带有丝绸般的光泽变化，裙裾间点缀着星星点点的荧光粒子——全身，中国古风，明亮的色彩，3D皮克斯风。

……

步骤 02 复制 DeepSeek 生成的 AI 作图提示词，进入即梦 AI 的官方网站，在“AI 作图”选项区中，单击“图片生成”按钮，如图 11-9 所示，使用“图片生成”功能进行 AI 作图。

步骤 03 进入“图片生成”页面，在页面左上方的输入框中，输入刚刚复制的 AI 作图提示词，如图 11-10 所示。

图 11-9　单击“图片生成”按钮

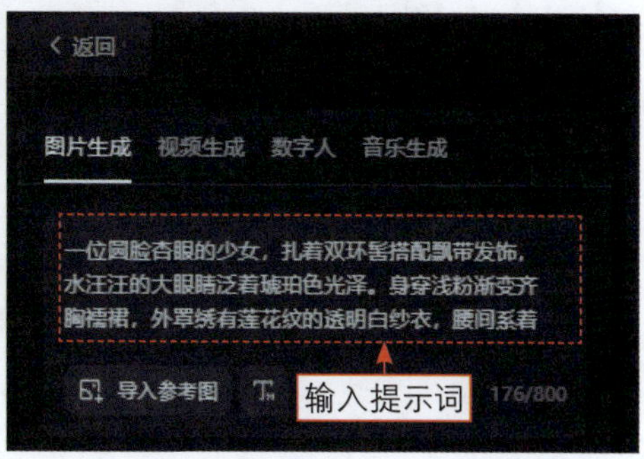

图 11-10　输入 AI 作图提示词

步骤 04 ❶ 选择“图片 2.0 Pro”模型；❷ 设置精细度为 10，如图 11-11 所示。默认情况下，“精细度”参数为 5，更高的精细度数值能使生成的 AI 图片具有更多的细节和更逼真的效果，同时会增加 AI 处理图像所需的时间。

步骤 05 ❶ 设置“图片比例”为 9:16；❷ 单击“立即生成”按钮，如图 11-12 所示，进行图片的生成。

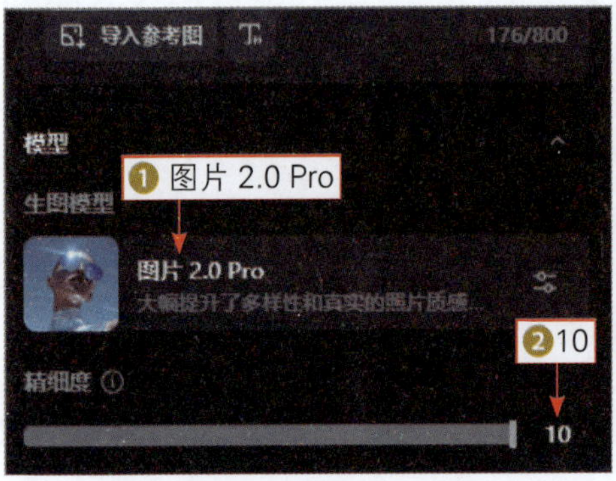

图 11-11　选择模型并调整参数

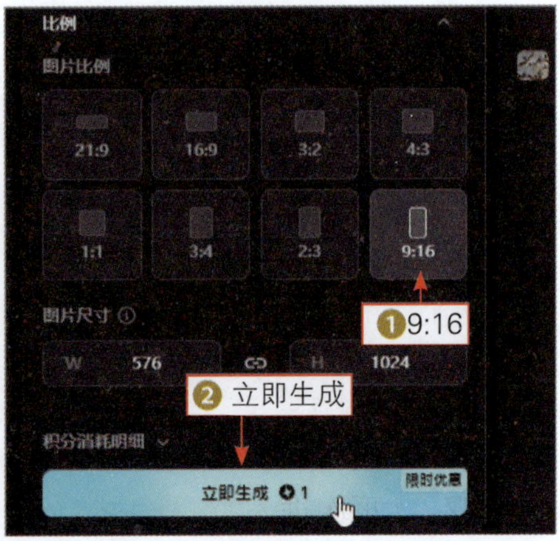

图 11-12　进行图片生成

步骤 06 稍等片刻，即可生成 4 张图片，选择自己满意的一张图，作为人物的 IP 形象，单击“HD（超清）”按钮，如图 11-13 所示。

图 11-13　单击“HD（超清）”按钮

步骤 07 此时如果对细节有要求，可以单击“细节修复”按钮，将图片进一步美化，也可直接单击“下载”按钮，如图 11-14 所示，将图片下载保存。

图 11-14　单击“下载”按钮，下载图片

步骤 08 再次进入 DeepSeek 的官方网站，在提示词输入框中，输入并发送相应提示词，要求 DeepSeek 生成《相思》古诗的脚本画面，相关的提示词和回复内容如下。

提示词

请根据《相思》古诗，生成分镜脚本，要求每一句诗对应一个分镜，并给出每个分镜画面的AI作图提示词（提示词使用自然语言），同时每个画面中都是同一个少女IP形象。提示词用中文输出，包含主体描述、场景描述、风格描述、质量词，每个提示词最后加“中国古代卡通，明亮的色彩，3D皮克斯风格”。提示词要详细，不要含复杂的描述，不要有形容词和抒情的部分，且不要出现人名，如果出现人物，请描述人物的外貌、服装、行为、表情。提示词应方便复制使用。同时以每一个分镜画面为第一帧，给出图生视频的提示词，用表格呈现，表格里只需要原诗句、AI作图提示词、图生视频提示词这三种。

DeepSeek

根据王维《相思》的分镜脚本及提示词如下。

1. 红豆生南国

（1）AI绘图提示词

主体：黑发盘发的少女，穿粉色襦裙，站在红豆树前，手扶树干，表情好奇；场景：春日庭院中的红豆树，树枝挂满红色豆荚，地面有青草和木篱笆；风格：中国古代卡通，明亮的色彩，3D皮克斯风格；质量：4K高清，细节精致。

（2）图生视频提示词

镜头从红豆树冠向下摇动，少女仰头观察红豆荚，左手轻触树干，微风带动发梢和裙摆。

……

步骤 09 ❶ 将第 1 句诗的 AI 绘图提示词复制到即梦 AI；❷ 单击“导入参考图”按钮，如图 11-15 所示。

步骤 10 弹出“打开”对话框，❶ 选择刚才下载的图片；❷ 单击“打开”按钮，如图 11-16 所示，即可导入参考图。

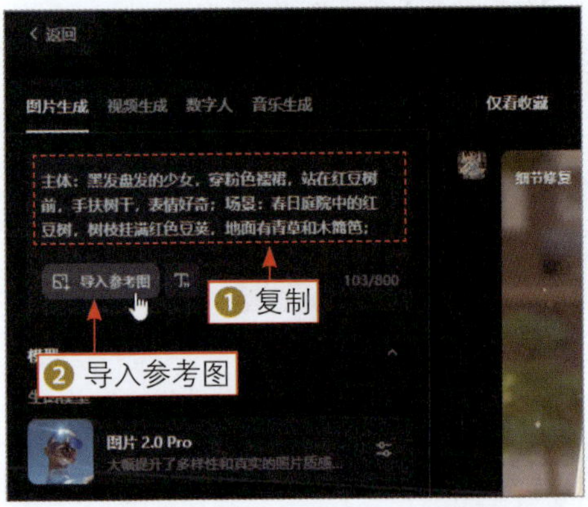

图 11-15 输入提示词并单击“导入参考图”按钮

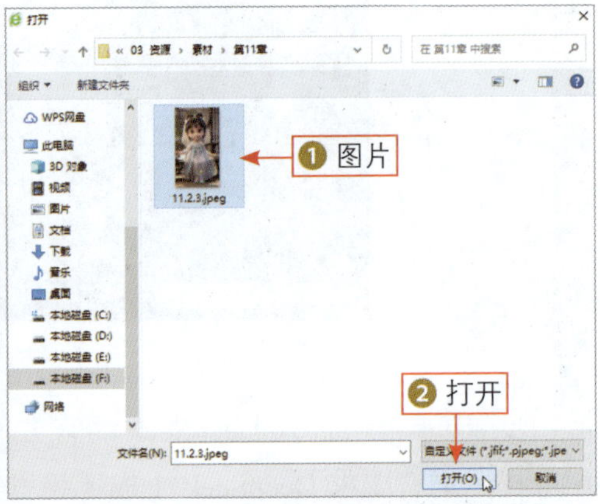

图 11-16 导入图片并单击“打开”按钮

步骤 11 弹出“参考图”对话框，❶ 选中“角色特征”单选按钮，系统会自动识别并选中图像中的主体对象的特征；❷ 单击“保存”按钮，如图 11-17 所示。

步骤 12 单击“立即生成”按钮，即可生成 4 张图片，选择一张满意的图片，单击 HD 按钮，然后再单击“细节修复”按钮，如图 11-18 所示。

图 11-17 单击“角色特征”“保存”按钮

图 11-18 单击“细节修复”按钮

步骤 13 单击“生成视频”按钮，如图 11-19 所示。

步骤 14 复制 DeepSeek 刚刚生成的第 1 句诗的图生视频提示词，❶ 粘贴到即梦 AI 的输入框中；❷ 设置“视频模型”为“视频 S2.0 Pro”；❸ 单击“生成视频”按钮，如图 11-20 所示。

图 11-19　单击“生成视频”按钮

图 11-20　再次生成视频

步骤 15 稍等片刻，即可生成一段相应的视频，单击“下载”按钮，如图 11-21 所示，将视频下载保存。采用同样的方法，生成另外 3 句诗的视频。

步骤 16 打开剪映，在首页单击“开始创作”按钮，进入“媒体”功能区。单击“本地”选项卡中的“导入”按钮，如图 11-22 所示。

图 11-21　单击“下载”按钮，下载视频

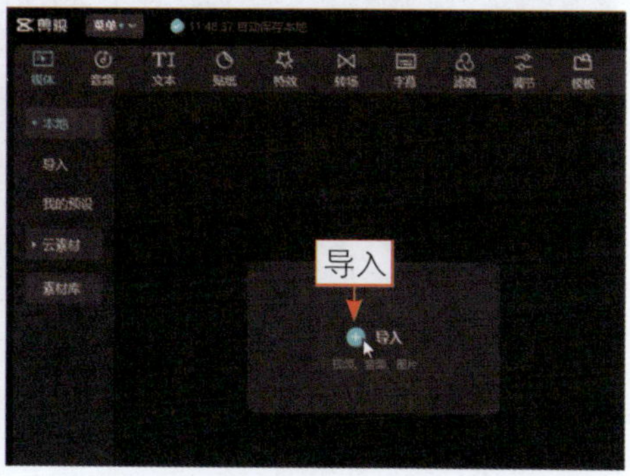

图 11-22　单击“导入”按钮

步骤 17 弹出“请选择媒体资源”对话框，❶ 选择刚刚生成的视频；❷ 单击“打开”按钮，如图 11-23 所示。

步骤 18 执行操作后，即可将所选的视频导入“本地”选项卡中，单击第 1 个视频右下角的“添加到轨道”按钮⊕，如图 11-24 所示，将素材导入视频轨道中。

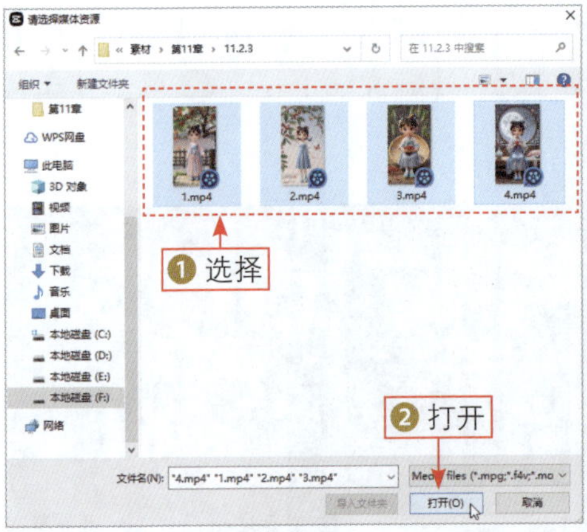

图 11-23　选择视频并单击“打开”按钮

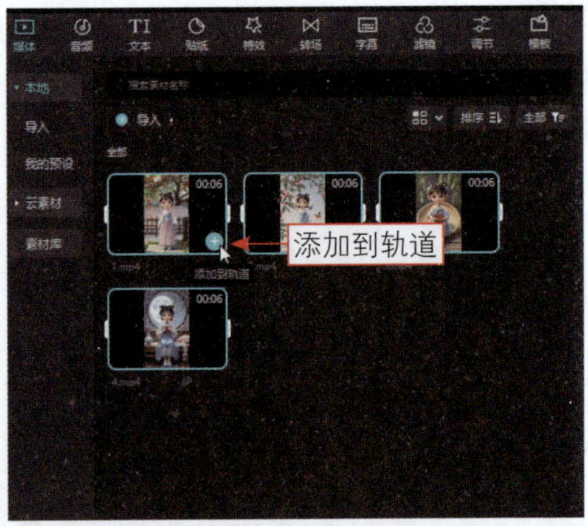

图 11-24　将视频素材导入轨道中

步骤 19 ❶ 单击“文本”按钮，进入“文本”功能区；❷ 单击“默认文本”选项右下角的“添加到轨道”按钮＋，如图 11-25 所示。

步骤 20 ❶ 在“文本”操作区中修改文本内容；❷ 选择合适的字体；❸ 设置“字号”为 18；❹ 选择一个“预设样式”；❺ 单击“保存预设”按钮，如图 11-26 所示。

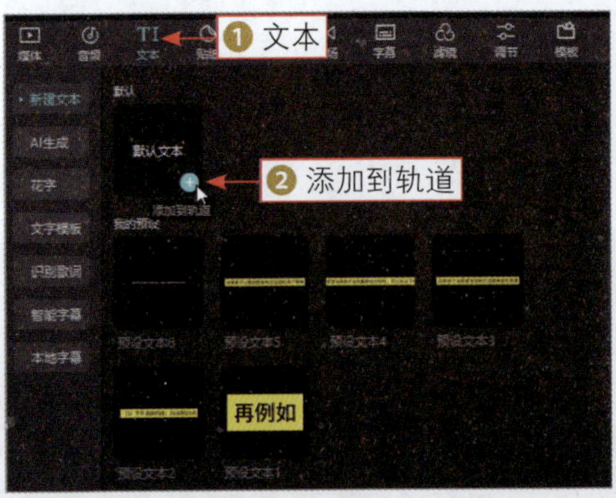

图 11-25　将文本素材添加到轨道中

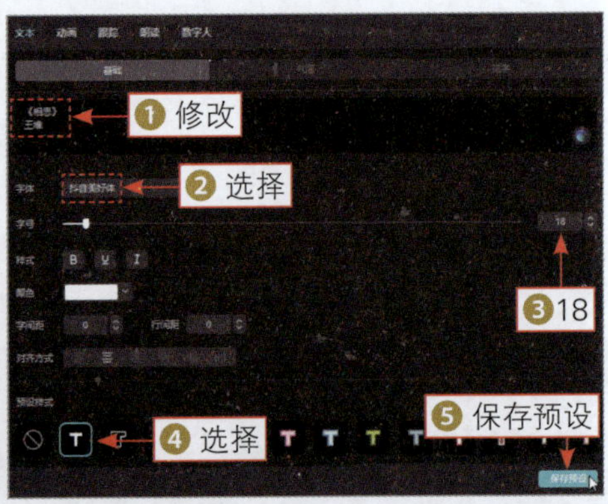

图 11-26　修改文本预设

步骤 21 ❶ 选择刚刚修改的文本；❷ 向左拖曳文本右侧白框，调整文本的时长，如图 11-27 所示。

步骤 22 用与上面同样的方法，在视频的合适位置再添加 4 段文本，并修改文本内容，如图 11-28 所示，给所有文本添加一个“亲切女声”的朗读效果。

步骤 23 拖曳时间轴至视频起始位置，❶ 单击“音频”按钮；❷ 在“音乐素材”选项区中选择一个合适的素材，如“古风”音乐；❸ 单击“添加到轨道”按钮，如图 11-29 所示。

图 11-27　调整文本时长

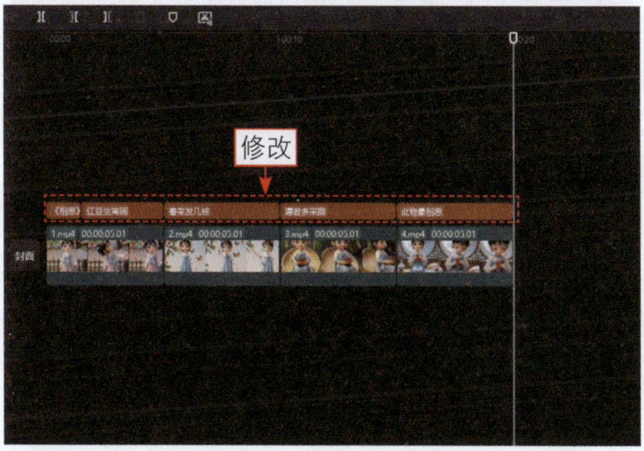

图 11-28　修改文本内容

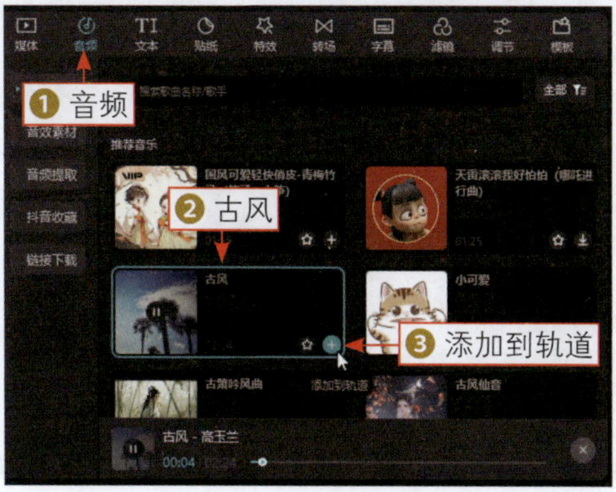

图 11-29　添加音频

步骤 24 执行操作后，即可添加相应的音频，调整音频的时长，使其对齐视频结束的位置，如图 11-30 所示。单击界面右上角的“导出”按钮，即可导出视频。

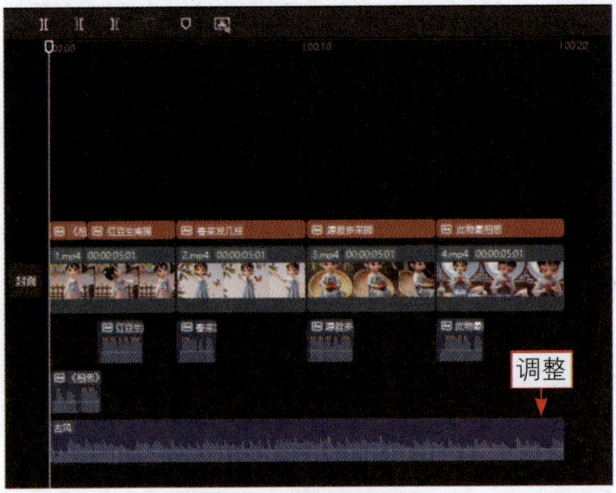

图 11-30　调整音频的时长

11.2.4　制作口播视频，运营者的必备技能

扫码看教学视频

口播视频是一种通过口头表达来传递信息、分享观点、展示个人魅力的视频形式。它通常以第一人称出现，能够增强用户的参与感和代入感。

即梦 AI 的“数字人”功能为运营者制作口播视频提供了新的可能性。运营者只需上传一张照片或一段视频，再输入文字内容，即可生成一段动态视频，效果如图 11-31 所示。

图 11-31　AI“数字人”视频效果展示

☆ 专家提醒

除即梦 AI 外，剪映和腾讯智影也可以制作数字人视频。

下面介绍使用即梦 AI 制作口播视频的操作方法。

步骤 01 打开即梦 AI，进入“想象”界面，点击界面左下角的按钮，如图 11-32 所示。

步骤 02 执行操作后，在弹出的列表框中，选择“数字人”选项，如图 11-33 所示，即可使用即梦 AI 的“数字人”功能。

步骤 03 进入“数字人”界面，点击“上传照片或者视频”下方的按钮，如图 11-34 所示。

图 11-32　点击相应按钮（1）

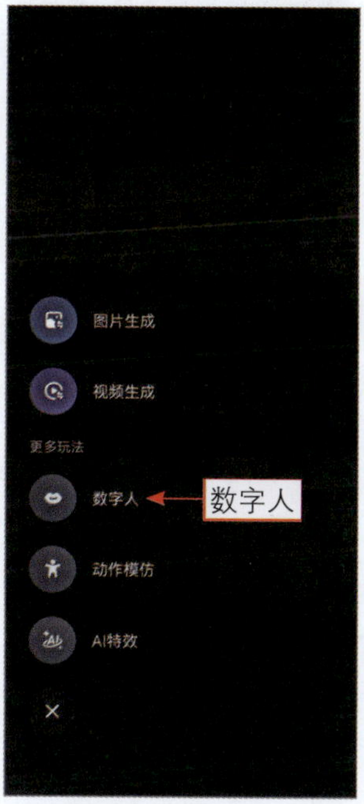

图 11-33　选择“数字人”选项

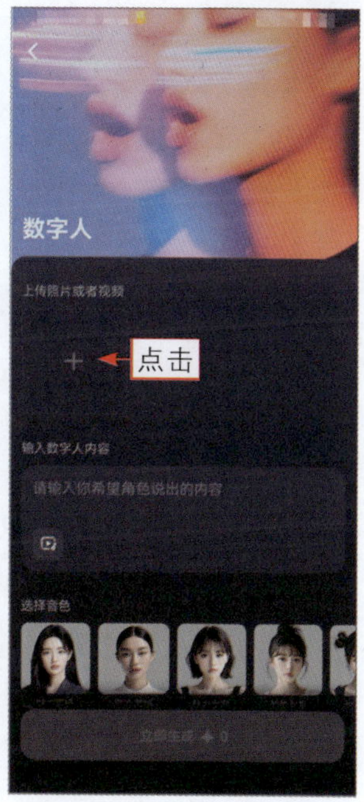

图 11-34　点击相应按钮（2）

步骤 04 弹出“系统相册”面板，在“全部”选项卡的下方，选择需要上传的照片素材，如图 11-35 所示。

步骤 05 执行操作后，即可上传所选的照片素材，在“输入数字人内容”下方的输入框中，❶输入需要朗读的文本内容；❷选择“黛玉”音色；❸点击“立即生成”按钮，如图 11-36 所示，进行视频的生成。

步骤 06 稍等片刻，即可生成一段口播视频，如图 11-37 所示。运营者如果对生成的视频不满意，可以重新进行编辑或再次生成。

图 11-35　选择照片素材

图 11-36　进行视频生成

图 11-37　生成一段口播视频

11.2.5　出售 PPT 课件，丰富教学资源

扫码看教学视频

运营者可以利用 DeepSeek 和 Kimi 这两个 AI 工具，制作教学课件，如图 11-38 所示，然后在新媒体平台上，如小红书、微信公众号、知乎专栏、B 站等，发布 PPT 教学课件的介绍和试看内容，吸引用户购买完整的课件。定价可以根据课件的质量、内容深度以及市场需求来确定，一般价格范围较广，从几十元到几百元不等。

图 11-38　PPT 课件效果展示

下面介绍使用 DeepSeek 和 Kimi 制作教学课件的操作方法。

步骤 01 在 DeepSeek 的提示词输入框中，输入并发送相应提示词，要求 DeepSeek 生成一份 PPT 课件大纲，相关的提示词和回复内容如下。

提示词

我是一名高中语文老师，下节课要讲《登高》，需要你围绕这首诗并结合其主旨、要点和考点生成一份PPT课件大纲。

DeepSeek

以下是为《登高》设计的PPT课件大纲，结合高考高频考点和教学重点分层呈现。
PPT课件大纲：《登高》杜甫
封面页
1. 标题：杜甫《登高》赏析
2. 副标题："万里悲秋常作客，百年多病独登台"
3. 配图：萧瑟秋景/杜甫画像
4. 教学目标：理解诗歌意象、赏析艺术手法、把握诗人情感
一、课程导入（5分钟）
1. 情境设问
……

步骤 02 选择生成的大纲内容，在内容上单击鼠标右键，在弹出的快捷菜单中选择"复制"选项，如图 11-39 所示，即可将其复制一份，以便在 Kimi 中使用。

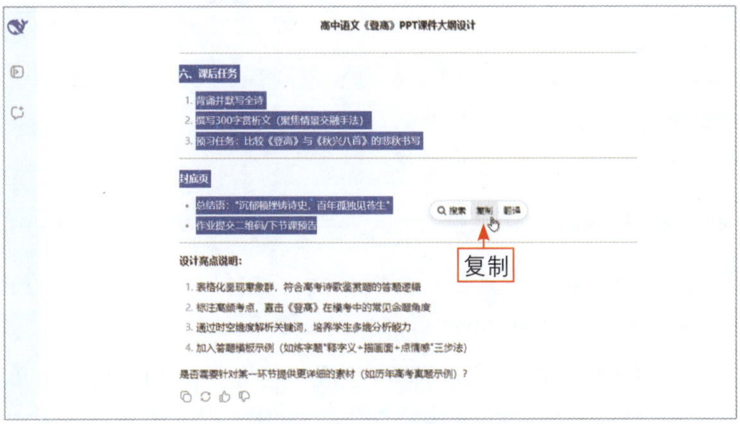

图 11-39 选择"复制"选项

步骤 03 登录并进入 Kimi 首页，在左侧的导航栏中，单击 Kimi +按钮，如图 11-40 所示。

步骤 04 执行操作后，即可进入 Kimi +页面，在"官方推荐"选项卡的下

方，选择“PPT 助手”选项，如图 11-41 所示。

图 11-40　单击 Kimi ＋按钮

图 11-41　选择“PPT 助手”选项

步骤 05 执行操作后，跳转至“和 PPT 助手的会话”页面，在下方的输入框中输入之前复制的 PPT 大纲，如图 11-42 所示。单击输入框右侧的发送按钮。

步骤 06 执行操作后稍等片刻，即可获得 Kimi 重新提炼总结的大纲，单击“一键生成 PPT”按钮，如图 11-43 所示。

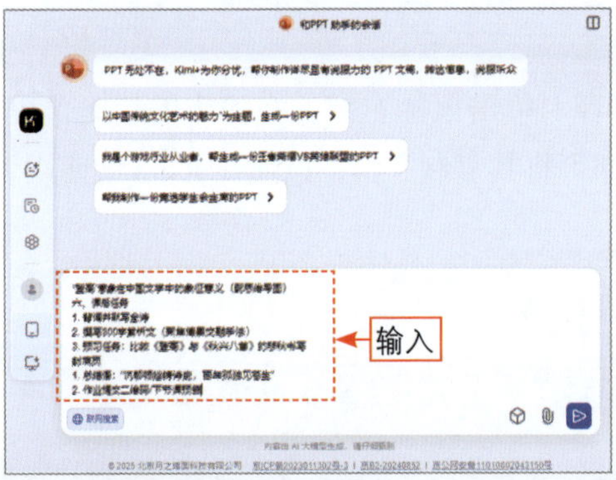

图 11-42　输入之前复制的 PPT 大纲

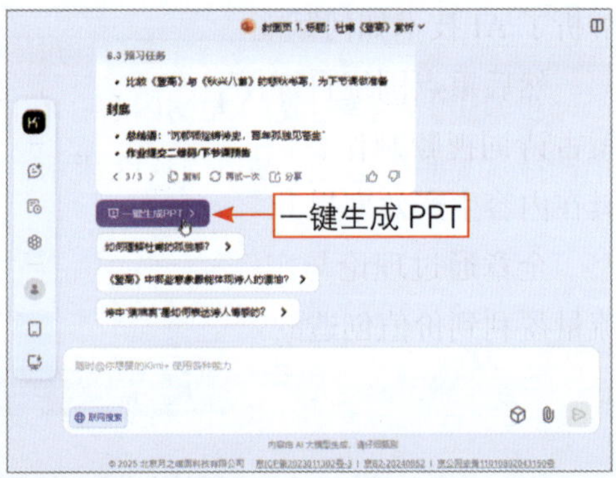

图 11-43　单击“一键生成 PPT”按钮

步骤 07 执行操作后，进入选择模板页面，选择一套自己喜欢的 PPT 模板，如图 11-44 所示。单击“生成 PPT”按钮。

步骤 08 执行操作后稍等片刻，即可生成一份完整的 PPT 课件，单击“去编辑”按钮，进入“杜甫《登高》赏析”页面，如图 11-45 所示。单击“下载”按钮，即可将 PPT 下载保存。

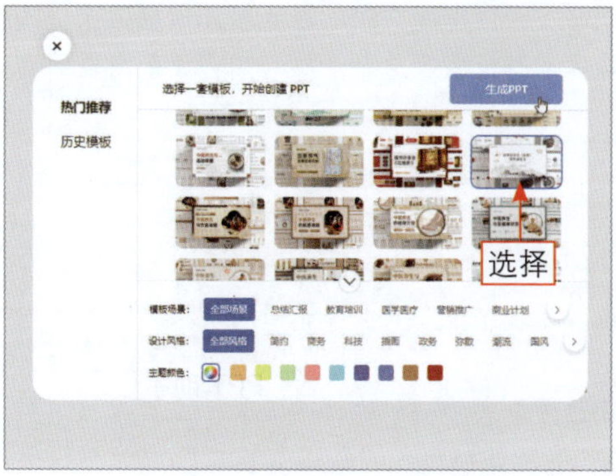

图 11-44 选择一套 PPT 模板

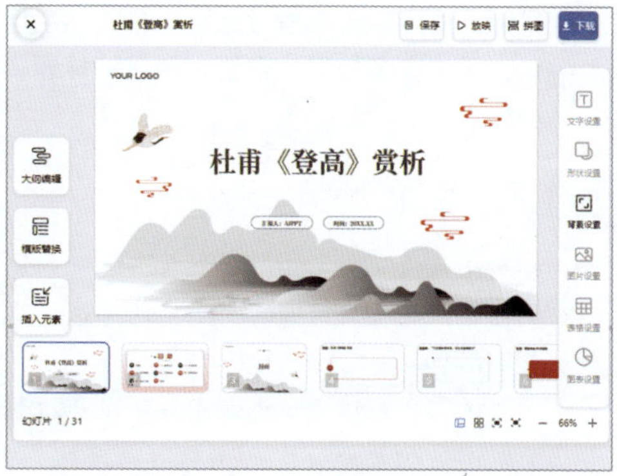

图 11-45 进入“杜甫《登高》赏析”页面

11.3 本章小结

本章首先介绍了 AI 在新媒体领域的多元盈利模式，涵盖开设 AI 教学课程、打造爆款 IP、电商卖货、商业广告投放、品牌合作及付费业务六大方向，系统解析了 AI 技术如何赋能新媒体实现财富突破。

然后重点围绕自媒体盈利场景，通过撰写文章提升收益、海报设计、儿童启蒙古诗词视频制作、口播视频创作、PPT 课件制作五大案例，深入展示了 AI 工具在内容生产效率提升与盈利渠道创新上的实践价值。

全章通过理论与实例结合，为读者呈现了 AI 技术在新媒体、自媒体领域从流量盈利到价值创造的完整赋能路径。

11.4 课后实训

扫码看教学视频

鉴于本章知识的重要性，为了帮助读者更好地掌握所学知识，本节将通过课后实训，帮助读者进行简单的知识回顾和补充。

实训任务：利用 DeepSeek 的撰写一篇头条号文章，相关案例如下。

提示词

请帮我撰写一篇适合在头条号发布的关于《人工智能在日常生活中的应用》的文章，文章需要符合头条号的风格和要求，包括但不限于：内容通俗易懂、有吸引力；结构清晰，有明确的开头、中间和结尾；语言生动有趣，能够吸引读者的注意力并保持他们的兴趣；适当加入一些与主题相关的热门话题标签，以提高文章的曝光度和传播效果。同时，请为文章构思一个引人注目的标题，确保它既反映了文章的核心内容又能激发读者的好奇心

DeepSeek

标题：解锁未来生活！揭秘人工智能如何“润物细无声”改变你的每一天
副标题：从看病到追剧，AI竟已渗透到这些角落！你的生活正在被AI悄悄改变！
开头：
“叮咚，主人，空调已调至26℃，咖啡机开始煮美式……”这样的场景，是否像极了科幻电影？但如今，它已悄然成为现实！2025年两会期间，“人工智能+”成为热议话题，从田间除草到手术机器人，从AI写剧本到智能问诊，AI正以超乎想象的速度重塑我们的生活。今天，就带你一起探索AI如何像“空气”般无处不在，成为我们最贴心的“隐形助手”！#人工智能+#数智生活
正文：
一、AI让生活更“聪明”：家居与健康双升级
1. 智能家居：你的“贴心管家”
清晨，窗帘自动拉开迎接阳光；夜晚，灯光随心情切换氛围模式；离家时，安防系统实时监控异常……这些不再是未来幻想。通过语音助手（如Alexa、小爱同学）和AI算法，智能家居能学习用户习惯，自动调节环境，甚至预测需求。例如，空调能根据天气和体温数据主动降温，冰箱会提醒食材保质期并生成购物清单。
二、AI让效率“开挂”：工作与娱乐的颠覆式体验
1. 办公神器：从“996”到“一键生成”
……